大展好書　好書大展

大展好書 好書大展

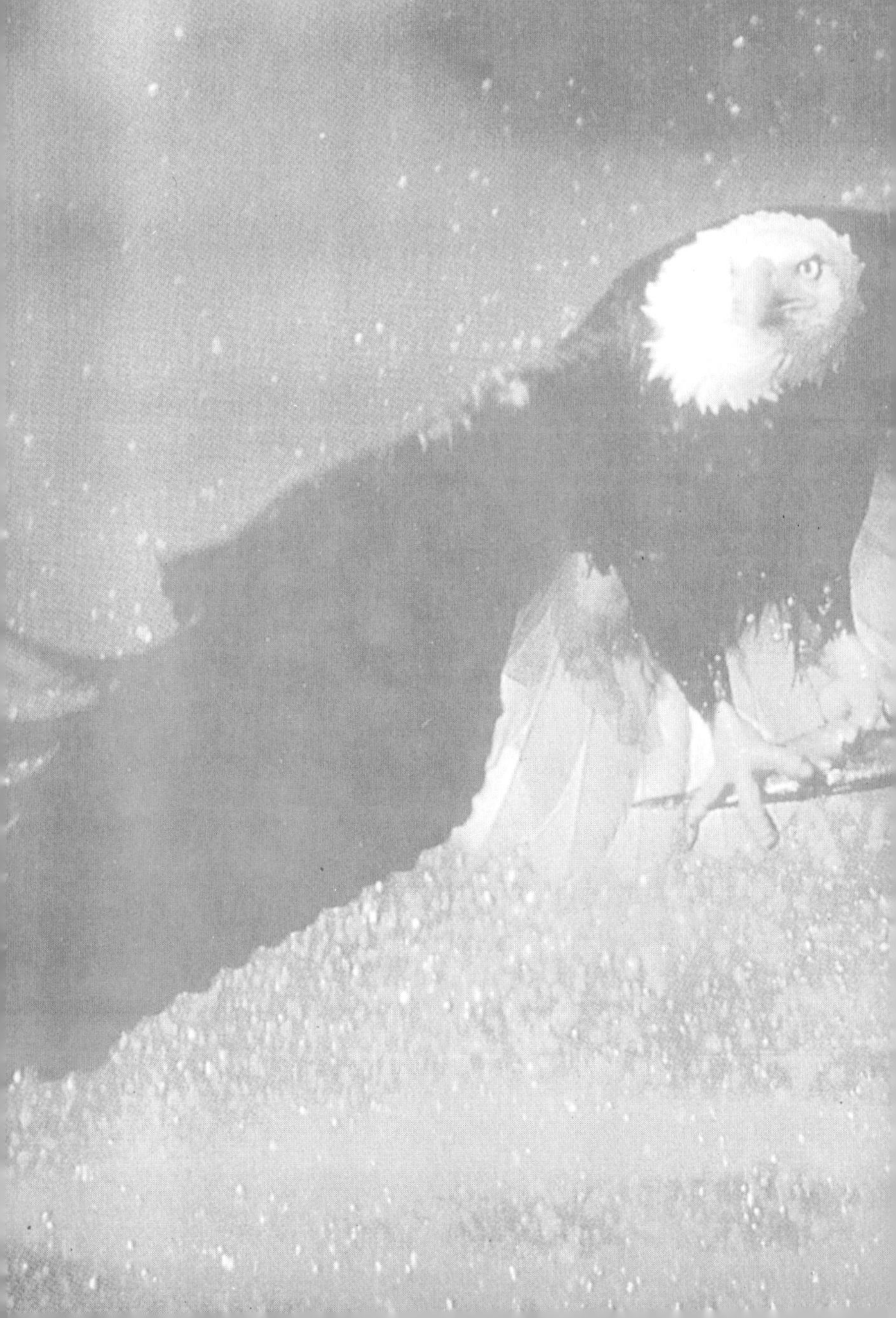

無的漫談

蘇燕謀／編著

大展出版社有限公司
DAH-JAAN PUBLISHING CO., LTD.

目錄

1 「ㄚ」「ㄨ」「ㄇㄨ」這些都是表示不知道？……一〇
2 明明是有，但卻說沒有。……一二
3 表示樹木茂盛之意的「無」字爲什麼會變成「沒有」之意呢？……一四
4 政治家經常說我沒有此記憶，沒有記憶是真的嗎？……一六
5 明明是不存在的東西，卻存在著……這是幻覺嗎？……一八
6 沒有意識所做的夢，是表示所隱藏的願望！……二〇
7 能否泰然自若說出你心中的愛而臉色不變？臉上愈是沒有表情的人愈是老手！……二二
8 透明而又看不到影子的透明人，其眼睛看不見。你知道嗎？……二四
9 即使有顏色，卻沒有顏色的感覺，這情形如何？……二六
10 令人驚嚇的事，一再重複時，就不會令人有所感覺……二八

11 痛是身體的危險信號！如果不感到痛，將會如何？……三〇
12 你是否與無味的無鹽食物無緣？……三二
13 太乾淨也會生病！可怕的無菌生活！……三四
14 張開眼睛或緊閉嘴唇都是肌肉的機能，如果肌肉失去機能將會如何？……三六
15 手術上所不可欠缺的痲醉止痛的秘密……三八
16 沒有頭髮與沒有體毛性質不同。爲什麼會長性毛？……四〇
17 告訴你如何製造無氣力和如何從無氣力超脫出來的方法。……四二
18 到了無念無想無心的境地，一切都可以看見。此劍的極意是什麼？……四四
19 好強之心是失敗之母。到了「無心」的境界才能成功……四六
20 以前曾經有過沒有文字的社會！現在之有沒有文字的社會……四八
21 不抵抗，而事實上是在抵抗的方法，你知道嗎？……五〇
22 已經到了盡頭，無路可走時，就可以返回！物質太多的話，就應該追求無！……五二
23 不流血能轉變社會體制嗎？歷史上革命的真相……五四

24 董事長、職員都沒有區別的公司。如果成爲無階級的社會，就不能神氣了。……五六
25 宣佈沒有敵人，可是敵人卻出現了。……五八
26 Anarchy是什麽意思？無政府是什麽樣的情況？……六〇
27 被判刑五百九十四年。即使是死了，也無法出監獄。……六二
28 次無理開始的戰爭終於無條件結束。……六四
29 雖不存在，但一直活在生活中的怪獸「麒麟」「龍」「鳳凰」。……六六
30 不常使用時，人的頭腦、身體都會漸漸退化。……六八
31 蜜蜂會螫人嗎？是否有無刺的蜜蜂，或即使有刺也不會螫人的蜜蜂？……七〇
32 不結網的蜘蛛，反而會做一個很巧妙的陷阱……。……七二
33 不振作的話，就會沒骨頭。沒有背骨的話，就會降級。……七四
34 沒有下巴的動物很長壽，在四億年前就有非常稀奇的魚存在。……七六
35 有果實沒有種子。沒有種子的水果的秘密。……七八
36 無患子、無花果、無憂樹，現在來揭開帶無字的植物的秘密。……八〇

37 如果無開花的時節，人生也不會結果。不開花的果實。……八二
38 無生物並不是死的。生物與無生物有何不同？……八四
39 沒有公的也可以生殖。沒有男人，也可以生孩子嗎？……八六
40 沒有公的也可以生公的，但要生母的，就需要精子。……八八
41 你可以不用「Ｅ」這個字而來說話嗎？……九〇
42 吸收沒顏色的水就會變成有顏色，那是什麼？……九二
43 宇宙是否有邊？……九四
44 即使飛上太空，也不會失去重力，只是失去重量而已……九六
45 牛頓也嚇了一跳！水不掉落，而在臉上擴大成凶器！……九八
46 在無重量狀態中，如果不活動的話，即使有氧氣也會窒息。……一〇〇
47 興奮也只不過是十億分之一秒的短暫生命……一〇二
48 是誰破壞了利用時光機器，可以看到以前人類的夢……一〇四
49 在我們身邊，有很多怎麼除也除不盡的數字。那是什麼數字？……一〇六
50 美麗的東西沒有無理數。那麼美麗的東西的數字秘密是什麼？……一〇八

51 數目即使無限的增加，其唸法也是有限的。……一一〇
52 製造「什麼都沒有」狀態的歷史故事。……一一二
53 你的腦筋即使是如何的空調無物，但擁有真正空虛的頭腦並不是簡單的事。……一一四
54 看看無限小的世界的無限慾望和研究。……一一六
55 怎麼數也數不盡，愈數愈睡不著。……一一八
56 將無限的歷史，訂於僅僅四張的紙。……一二〇
57 認爲無限大的東西也有大小。……一二二
58 抽樣調查是可靠的，但亂數表可靠嗎？……一二四
59 對於雜亂，不要太介意。……一二六
60 人，要像鳥一樣在天空飛行是很困難的。可是即使沒有動力，也可以無聲的飛行。……一二八
61 人要到宇宙的未知世界裡旅行之前，必須以無人的偵察機事先偵察。……一三〇
62 從無主翼的飛機到不使用跑道的「天馬」，達文西也嚇了一跳。……一三二

63 真正不會產生公害的車子，什麼時候才能造成？……一三四
64 有聲音，看不到影子，這會是妖怪？……一三六
65 在沒有道路的沙漠及泥沼上，笨重的戰車為什麼能前進？……一三八
66 自己的聲音！可否在完全沒有聲音的房內認出來？……一四〇
67 追究有調子的音樂之後，產生了沒有調子的音樂。……一四二
68 沒有雜音的聲音，要如何錄音？……一四四
69 進化的東西尾巴會消失。飛吧！飛機進化論。……一四六
70 愈沒有阻力的東西愈會產生阻力。……一四八
71 在永遠不會毀滅的世界，如果你不死，是最可怕的事。……一五〇
72 在無常的人世間，為什麼還實行無情的刑罰呢？……一五二
73 如果認為眼睛看得見的東西都是存在的，那就錯了。……一五四
74 死了以後會變成如何？真正有心靈與神的存在嗎？……一五六
75 「有」等於「無」，有這種事嗎？……一五八
76 如果人有永遠的生命的話，是否會產生常住觀的思想？……一六〇

77 如果失去全家的話，不要飄流，徹底成爲虛無主義者……一六二
78 能說不信神的人好像很多，其實並不多。……一六四

1

「ㄚ」「ㄨ」「ㄇㄨ」這些都是表示不知道？

▼「無」不查字典，誰都知道是沒有的意思。而其相反的字是「有」。

這是誰都懂的字，但古時賢人、聖者使用的話，就成了很令人費解的字。

▼你認識老子這個人嗎？他是西元五世紀時生於中國的偉大思想家。他所說的話被收集成一本書——『老子』。在此書中，老子說：「天下萬物是由有產生，有是由無產生」的這種矛盾的話。「有」和「無」是完全相反的意思，怎麼「無」變成「有」了呢？

老子是否發瘋？想法太膚淺了。但是老子在此所使用的「無」並不是「有」的反語，而是老子所說的表示萬物存在根源的真理之「道」。

▼這個「無」字，不只是老子的弟子使用，連佛教也使用。佛教所說的「無」，是當時佛教傳到中國，對

佛教所說的「空」的概念不知如何翻譯，又為了讓中國人容易了解，因此就借用與「空」接近的道教的「無」。後來再返回使用「空」這個字。

▼因此，釋迦所說佛教的「無」最好把它認為就是「空」，所以這裡的「無」是「不存在」的意思。也許你會認為是「有」的相反。可是在佛教「有」也被認為是「無」。

「無」為什麼這樣？那是因為「一切皆空」。對這種矛盾的事，我們也不能因此就作罷。所以我現在來說明世界上所有的存在，並不是存在本身的「我」，而是一切與「他」的相互關係而成立的。

▼大概情形是這樣，你懂嗎？總而言之，「無」不知是何物。如果知道，你就是有所領悟了。所以不知道也是當然的。

什麼是「無」？

2

明明是有，但卻說沒有。

▼夏目漱石的小說『夢十夜』裡，以作了「夢見這樣的夢」開始，在夢中十個晚上的故事中有這樣一段。

▼為了領悟而修行的侍臣（夢中的我）的房間來了一個和尚，說：「你這樣一直無法領悟的話，是廢人」。又說：「如果你不服氣，把你領悟的證據拿來。」說著就走了。侍臣非常生氣又不服氣，毅然下定決心必定要能領悟。

▼但是，口裡一直唸著「無、無」，又一直敲打著自己的頭，卻始終產生不出「無」來。後來，腦筋變了，房間裡所有的東西，在他看來，也變成沒有任何東西存在一般。

▼這位侍臣所唸的「無」，到底是什麼？你知道佛教嗎？佛教是發祥於印度，而傳到中國、日本的世界三大宗教之一。而「無」與佛教具有密切的思想。到底是

夏目漱石

什麼，由人的五感，是無法體會到的不可思議的東西。
▼我們來看夏目漱石臨死前所寫的詩。也許會有所領悟。詩的內容是這樣：
「我想以無我的心情來渡過人生的時候，發現水、木、天、地，一切都在表示無心的清淨。我想隔絕感覺，進入忘我之境，在空中高唱白雲之歌。」
▼佛教思想最重視的是不要執著自己。要消除自我根深蒂固的執著心及一切弱點，與大自然融合，稱為「則天去私」，這才是佛教真正的精神。夏目漱石終生修行而達到了「則天去私」的「無」的心境。
▼在佛教以外，「無」還具有什麼其他的意義呢……
在西洋哲學，自從基督教失去堅固地位後，才開始從各方面來研究「無」。丹麥的宗教家吉爾克高（Kierkegaard），法國的哲學家莎爾特（Sartre），對「無」的了解獨特，留待以後有機會再討論。

3 表示樹木茂盛之意的「無」字為什麼會變成「沒有」之意呢？

▼無這個字具有什麼意義？你曾經考慮過嗎？無是沒有、非、勿、空、虛……等等幾乎是用於否定的，本來，好像是具有完全不同意義的漢字。通常「灬」是表示火的意思，與火有關的字有黑、窯等等。「無」可能與火無關，而所造出來的合成字，是由什麼東西所聚集而造成的字呢？

▼無的古字如下圖。這是一個〈大〉字加上廿和木所組成，可以分解為廿和木的部分。廿的字是表示很多的意思，所以這古字的意思是表示很多的樹木，茂盛而寬闊。同樣在無字再加一個艹（蕪），是表示雜草繁茂。具有這種意義的無字，為什麼離開了本意，而用於現在的意義？可能具有跟老莊思想有關的各種理由，現在來看看與「無」有關的句子。

▼無就是老莊思想的根源。「視而不見，聽而不聞

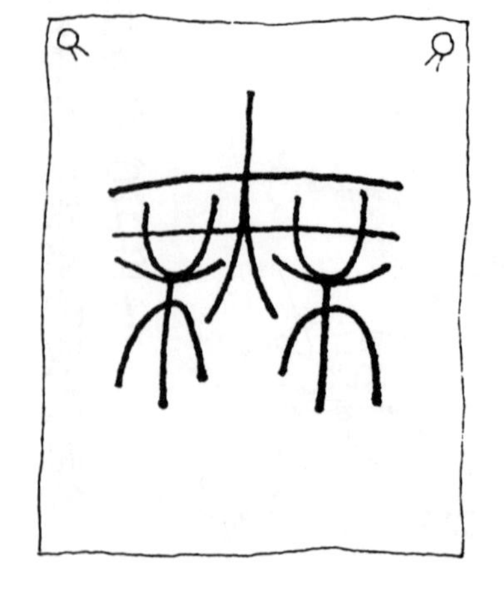

，取而不得……」像這樣超過人類知覺範圍外的存在，就是無，而無才是形成物和心的根源。

莊子認為在社會上被看成無用的人，往往產生很大的作為，因此稱他為「無用之用」。所以，做任何事一直自我主張，是很難達成的，最重要的是必須在無我狀態中專心於某件事。但世界上所有的事物，要達到無的境地之前是無味枯燥的——像乾涸的食物一樣沒有味道。所以要達到無的路程是無限、無界、無極、無涯、無窮、無疆、無邊。

▼但是愚蠢的事，如果能連續到死為止也是很了不起。好像玩撲克牌，全部拿到負牌時，就正負逆轉的情形一樣。所以在歷史中，「無」字意義也許因此而有所改變。

看起來好像平凡無奇，也許是大人物……

所謂的無字

4

政治家經常說我沒有此記憶，沒有記憶是真的嗎？

▼在日本戰後所上映的一部電影『心的旅途』中，敍述第一次大戰時受傷而失去記憶的一個士兵的故事。他在戰後結婚而過著很幸福的日子。但有一天，有事到倫敦去時，頭被重重的打了而失去意識昏倒了。當他醒來時，以前的記憶又恢復，但結婚生活完全忘記了。

他帶著口袋裡一把謎樣的鑰匙回到家鄉。本是一個名門子弟的他，後來成了國會議員在報紙上出現，當他太太在報上看到他之後，作為他的秘書跟隨在他身旁工作，但他仍然沒有發覺此事。

▼有一天，他因工作關係到某地訪問，當他到達目的地時，似乎覺得此地似曾來過，而在模糊的記憶中走著時，走到了一間房子之前，他更覺得熟悉了，而拿出謎樣的鑰匙啟開大門時，竟然打開了，在這瞬間他又回復了空白的記憶。這是以雙重的記憶喪失為主題的一部

電影。那麼，記憶喪失是怎麼引起的呢？

▼記憶從生理學來說是這樣的，人的眼、耳、皮膚感覺受到刺激時，感覺神經興奮而傳到腦細胞引起活動，而記憶是腦細胞活動的殘餘現象，所以記憶喪失就是，腦細胞活動的殘餘受某種打擊而消失。

▼記憶並不限於腦細胞的記憶，而在染色體裡的DNA（deoxyribonucleicacid）也有記憶。DNA把有關遺傳的情報排列成直線地記憶著。「孩子為什麼像父母？」這是因為DNA記憶著父母親的性質。

▼這記憶不只是人類才有的。鮭魚產卵時會回到他出生故鄉的河流。為什麼不會走錯路呢？這是因為它記著出生長大的河流味道。據說，如將鮭魚放在灌有故鄉河水及他方河水的河流，會引起不同的腦波。

沒有記憶

5 明明是不存在的東西，卻存在著……這是幻覺嗎？

▼你看過挪威的表現派畫家蒙克（munck）所畫的『叫』嗎？這一幅畫也曾被用作為五木寬之的小說『幻之女』的封面。畫這畫時，是蒙克精神分裂症還沒發作的前四年所畫的，即是他心裡充滿緊張和不安，而為幻覺所困擾的時期。幻覺是包括幻想、幻聽、幻味、幻臭、幻觸一切在內。感覺不出的東西就是幻覺。在這當中，蒙克特別為幻聽所困擾。

▼我們仔細看『叫』的話，會有一種幻聲和叫聲的感覺，而會帶來恐懼感。精神分裂者多半會對周圍的東西有強烈的排斥感。而覺得「周圍的東西都很奇怪」，這種感覺高昂時，就會以為「世界上將會發生可怕的事，而使這世界消滅」。

▼另一特徵是會以為一直有人跟著他或有人注意著他，或說他的事。其實，什麼也沒有。

▼有時會以為房間的間隙是人的眼睛，又從這間隙裡有人會穿進來……有時會有這種被別人侵害的意識。這種精神分裂症的患者完全失去行動和思考的自由，好像被蜘蛛網纏住，經常產生幻聽或幻視的痛苦現象。雖然在現實上無此事，但他依然有此恐懼感。

▼此外，酒精中毒患者及LSD二五的藥物中毒患者，也會引起幻視。酒精中毒患者多半會以為像老鼠之類的小動物在身邊走。又LSD二五的中毒患者「視界如三百六十度般的寬，感覺後面有人且有腳步聲」。

▼此外，從大麻的雌花所採取的麻醉劑也與鴉片一樣，吃下的瞬間會陷入迷迷糊糊的狀態，而引起幻聽，又對聲音敏感，有時會由聲音而引起幻視。幻覺到底是什麼原因？在生理上被認為是大腦皮質的感覺中樞受到刺激，因大腦腳步的病變所引起的，但不明白的地方還很多。

看不存在的東西

6 沒有意識所做的夢，是表示所隱藏的願望！

▼有人說如果夢見牙齒脫落就是有死人，如果夢見洪水就是將會發生火災。如做了惡夢時，到附近的南天樹去向牠說明夢的內容，就會因此而逃避惡夢。或者對貘的動物發出「ㄇㄛㄇㄛ」的叫聲時，會使牠將惡夢吃掉。夢是不可思議的，又不像現實。並不是有意識而做夢，但為什麼會記得很清楚。

▼夢到底是什麼？這是大家都非常關心的問題。夢和現實到底有什麼關係？最早回答這一問題的是精神分析家佛洛依德。他在對一個少女作分析治療時，分析這少女所做的夢，而發現夢是可以解決心裡秘密的鑰匙。

▼根據佛洛依德所說的，夢是在現實上無法實現的願望（這是不滿社會及對自己也不喜歡的願望）的心像。平時因各種理由而受壓迫的願望，藉日常無意中所看到的東西，在無意識的夢中出現，這就是夢。

佛洛依德

▼所以把夢的內容細密分析，便可以發現此人心理為什麼被壓迫，並可以鬆弛有心病的人的心理緊張，以維護精神的安定。

▼佛洛依德對夢的分析，證明了人並不僅是活在自己所能意識的範圍之內。而給全世人帶來很大的衝擊。

▼但佛洛依德的精神分析，不但給人類帶來很大的震撼，也給代表二十世紀的藝術運動超現實主義帶來了很大的影響。也就是說，佛洛依德的想法已浸透到藝術裡了。

▼超現實是遙遙凌駕於現實之上，也就是在現實世界無法把握的人類內心的奧秘，或是受到刺激而突然被喚醒的，另一個現實的意思。其表現的主題主要是以「無意識」「夢」為主，一看繪畫就知道，所以與現實景物的配置及看法迥然不同。在文學上，以德國的卡夫卡，法國的亞拉岡、布雷敦為代表。

無意識做的夢

▼「那傢伙毫無表情」在你朋友當中是否有這種不將喜、怒、哀、樂表露於臉上，而經常默默的人。可是並不是完全不知道他的個性。這是為什麽？你是否想過？

▼通常說到表情，立刻會令人想到臉部表情，但姿勢、態度、聲音也是有表情的。在日本有一種藝術叫「能樂」，你知道嗎？在外國稱為「會動的雕塑」，即演員臉部戴著一個木刻面具，以音樂及步法來表現感情的一種藝術。

這是隨著音樂傳達感情，所以仔細看面具時，可以看出面具好像有好幾層的表情。這是由演員的動作來刺激觀衆感情，而引起面具有表情的一種錯覺。

▼臉部的表情，在日常生活中，與別人接觸時就會表現出來。例如，笑有微笑、嘲笑、奉承的笑、傻笑。所以這樣看來，也許無表情的面具，才是隱藏著真實的表情。

7

能否泰然自若說出你心中的愛而臉色不變？臉上愈是沒有表情的人愈是老手！

▼與能樂相反的被稱為是「不動的雕塑」，你知道嗎?那是叫做默劇。這是一種用濃厚的化妝隱瞞臉部表情，把真正想要表達的事情加以強調的一種戲劇。默默的以單純化的表情和動作來表現感情。

▼這種默劇，現在不只用人來表現，也可以用其他事物來表現。但到底人以外的東西是否有表情?事實上，動物也具有令人驚訝的各種複雜表情。

▼例如狗要表達愛情時，舐舌，貓或鳥會用頭部來摩擦你，黑猩猩有困難時會抓頭，並以手撫摸腹側。蝦、鮮魚興奮時體色會改變，魚及昆蟲成熟繁殖時，顏色會變得更鮮艷。最富有微妙變化的是黑猩猩，它會隨著感情而臉部變青、變紅。對生物來說，臉部以外的表情是非常重要的。

▼詳細觀察一直被認為沒有表情的動物，可能會發現很多過去所沒有發覺的表現。

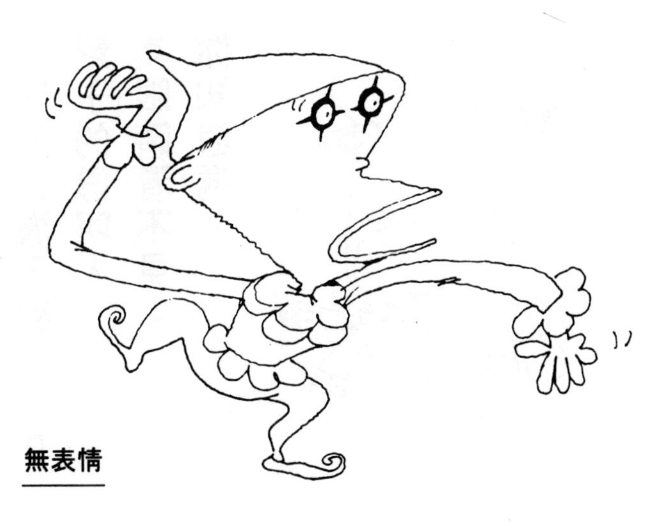

無表情

8

透明而又看不到影子的透明人，其眼睛看不見。你知道嗎？

▼沒有人不知道「透明人」吧。透明人這句話是英國科幻小說家威爾斯所說的。但人會消失的這種構想，並不是他最先想出來的。在日本故事裡，也有戴上帽子就看不見人的『天狗的隱身』的故事。

▼將「透明人」這句話傳遍於全世界，功勞最大的不是歌手而是影片。威爾斯的小說最先搬上銀幕的是一九〇九年法國的『透明怪盜』這部電影。一九三三年在美國也拍攝成電影，而只令人看到衣服晃動及足跡的特殊技術的有趣電影。在日本，也根據威爾斯的構想而拍成『透明人出現了』『透明人』、『透明人和蒼蠅人』等電影。最近，在電視的商業廣告也時常出現。

▼威爾斯的透明人構想雖然有趣，但是也有很多問題發生。其中是完全的透明人，其眼睛看不見。人看東西是利用眼睛的水晶體收集光線，然後在網膜上形成影

像。所以，不利用水晶體來收集光線是不行的。但如果要收集光線，水晶體就會被人看見，於是就不能成為完全的透明人。

又，眼睛裡的網膜，收集到光線，才能刺激視神經，所以光通過網膜的話，就無法收集光線，視神經就因此不受刺激而看不見了。

透明人要正常活動的話，至少眼球必須浮現在空中，而被人所看到，就如透明的白魚一樣，只看到其眼睛。

▼威爾斯本身也十分了解此事，但他卻故意渺視它。他的構想是利用藥品使人變成透明，這種人體突然消失的構想，在其他科幻電影裡也時常出現。其中最多的是到另一世界去或以超能力轉移到另一地方的故事。威爾斯的透明人，也有人認為他是利用不同次元的世界，但真實性如何?不得而知。

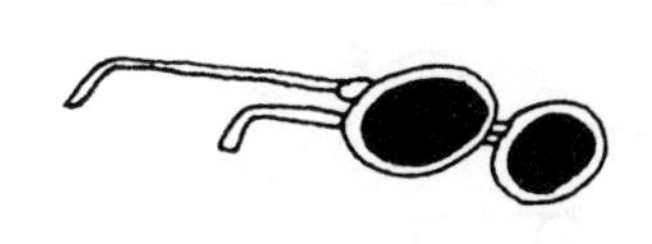

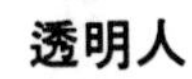

透明人

9
即使有顏色，卻沒有顏色的感覺，這情形如何？

▼如果這世界沒有色彩，可能會引起一片混亂。例如交通號誌的紅、黃、綠訊號無法區別，就會引起交通癱瘓，對繪畫、料理之樂也就沒意思了。可見人的生活與色彩有很大的關係，且無時無刻在利用著色彩。

但是有一部分人對色彩的感覺＝色覺失常，你知道嗎？這叫做色盲。患這種疾病最多的是紅綠混淆無法區別的紅綠色盲人，也有完全沒有顏色的感覺，把所有的東西都看成黑白的全色盲人。

▼照理說我們很容易發現不會區別色彩的人，其實，有紅綠色盲的人到十九世紀才被發現，這是為什麼？色盲的發現這麼遲？其理由之一是通常對一個東西來取名時，只依其形狀、特色來取名。我們知道血是紅色，而不管別人的看法是否與自己一樣。但是，化學家有時必須以顏色為基準來區別東西。因此，十九世紀的化學家約翰達爾頓發現了自己與別人不同，紅與綠無法區別

時，才知道有色盲存在。

▼那麼，人是如何去辨別顏色呢？那是在於形成眼球網膜的視細胞的機能。在物體反射的光通過水晶體而達到網膜時，由圓錐細胞和棒細胞的兩種感光細胞，將光改變為神經情報而傳達大腦的視覺中樞，才能看到。棒細胞是感覺暗處的明暗顏色，圓錐細胞是感覺明處的明暗顏色。

▼關於顏色，例如彩色電視，是對物體的顏色先分為紅、綠、黃的三種原色，然後以電波送出，在收像機重疊而合成各種顏色。人的色覺也是一樣，類似這種情形，圓錐細胞有三種對紅、綠、藍（也是紫）反應最敏感的細胞，綜合情報而感覺各種顏色。所以色盲的人，就是這種細胞的一部或全部有缺損或有障礙。也就是說，如果紅色的感光細胞有缺損時，就會引起對紅色及其補色的藍綠色看成無色的紅色盲。

色盲

10

令人驚嚇的事，一再重複時，就不會令人有所感覺

▼眼前忽然有東西出現時，眼睛會不由得一眨，為什麼會有這樣的「反射性的動作」，你知道嗎？

這是因為受到刺激時，這刺激向運動神經連絡的情況和光的反射相似，所以才被命名為反射運動。我相信大家都知道反射運動的研究者巴夫洛夫的名字，同時也知道條件反射這句話，但是巴夫洛夫另外也使用過無條件反射這句話，你知道嗎？

▼條件反射如你所知，如果屢次以鈴聲喚狗來吃飯，以後只要狗一聽到鈴聲就會流口水。

像這樣的條件反射不只在於狗。這和當你們聽到好吃的蛋糕和聽到很酸的梅干而流口水的情形一樣。

▼換言之，不一定要將食物放在口裡，只要想像就會流口水的情形是條件反射。但是引起條件反射是需要學習經驗的，而即使沒有經驗，但天生就具備的反射，即是無條件反射。

這樣不由得眼睛一眨，是為了保護自己的無條件反射，吃東西時分泌口液是食餌性的無條件反射。

▼那麼，無條件反射是從什麼時候開始就有了呢？人在胎兒初期，就有幾個無條件反射已發達了。受胎後，大約二十週就有吸吮的反應，二十五週就有呼吸及手腳運動的反應，二十七週就有手指活動的反應。這種無條件反射，在早期就已具備了。

▼過去無條件反射被認為即使平常一再重複時，也不像條件反射那樣會有變化而永遠存在，其實其中也有例外的情形。巴夫洛夫將它命名為「是什麼反射？」也是這個道理。聲音、光、味道、皮膚的刺激……在周圍發生變化時，首先會令人注意到方向。如果此事一再反覆發生時，就會令人習慣了而不去注意。

就如同你們每天被這樣說：「用功！用功！」，剛開始也許會用功，但久而久之就鬆弛了。

無條件反射

11

痛是身體的危險信號！如果不感到痛，將會如何？

▼「什麼！膝蓋稍微擦破皮就哭，像個男孩子嗎？」你是否會被母親這樣說過的經驗?!可是實際上是很痛……這時如不叫痛的話，就會被讚揚為勇敢的男孩子。但是，如果不感到痛卻是非常不幸的事。

▼在這世界上，有天生就不感到痛的先天性痛覺喪失症的人。當我們看到患有這種毛病的人的生活時，往往會想「如果痛的話，應該儘管哭吧！」因為沒有痛覺的人，即使發生燙傷、灼傷也未能發現，而造成嚴重的燒傷；即使生病，也不覺得頭痛、腹痛，直到病得很嚴重本人還不發覺。沒有痛感的人經常受傷且全身傷痕都不自知，甚至任其手指斷了，手臂斷了還不自覺，這實在是令人擔憂的現象。

痛感是早期將受傷、生病的事告訴你的一種危險信號，所以，沒有這種感覺的話，是很不方便的。

▼皮膚上，有痛覺的痛點神經末端大約有二百萬，隨時可以將危險傳達出來。痛點，顧名思義是由點來感覺痛，所以像刀傷，如果是以很銳利的刀切，有時候不會感覺痛。

當然，這種神經末端也分佈在體內，包圍著血管及骨胳肌，只有腦的灰白質沒有痛覺的神經。所以頭痛並不是腦的痛，大概是血管的痛。

▼痛覺也與情緒有關。例如認真作體力運動時，即使受傷也不覺得痛。所以，改變情緒有減輕痛感的效果。又，隨著人的忍耐力而定，忍耐力強的人並不是不感覺痛，而是對痛的反應遲鈍。猶太、拉丁系人種對痛的反應較強，而德國的安格魯薩克遜系人種對痛的反應較為遲鈍。日本人的忍耐力比較強，而你呢？

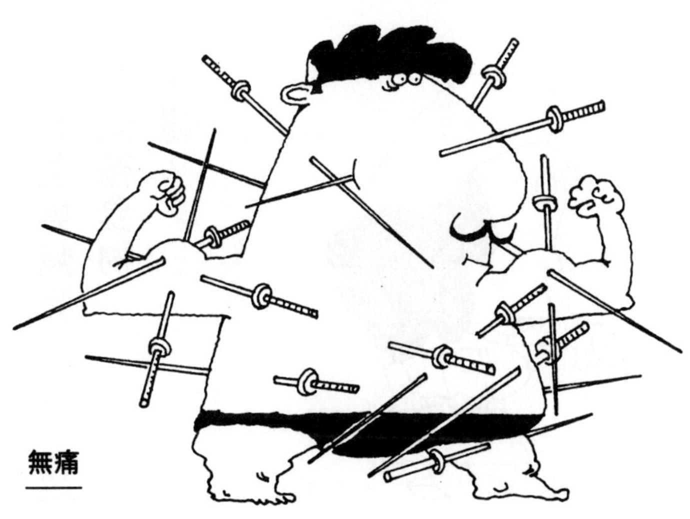

無痛

12

你是否與無味的無鹽食物無緣？

▼你曾經吃過無鹽的食物嗎？如果吃過的話，你一定是腎臟不好而住院。沒有任何東西比無鹽的食物更難吃的了。你說你根本不吃鹽，可是你不必直接吃鹽，所有加工食品一定含有鹽。例如醬油、醋、味噌、番茄醬、美乃滋，無一不含有食鹽。那麼沒有食鹽的食物是如何呢？

▼天然的食品多多少少一定含有鹽份。而要將鹽份完全消失是很困難的。實際上，在做菜時，不使用含有食鹽的調味料，稱為無鹽食物。所以與其稱為無鹽食物，不如稱為減鹽食物比較正確。那麼，為何不吃這種無味的食物不行呢？

▼如你所知，人的體內，充滿含有鹽份的體液。在各種細胞中及細胞與細胞間，或血液裡含有大約百分之零點九鹽份濃度的體液。在地球上，最早有生物存在的

體液濃度也和海一樣。

▼人體內的鹽份，經常由汗及尿中排出。因此，為了保持體液一定的濃度，一天之中至少必須攝取十公克的食鹽。

▼如果食鹽攝取過多會口渴。這是為了保持體內鹽份濃度，所以需要水份。這時喝下的水進入血管，血液量增加，血壓上升。攝取鹽份過多的日本東北地方的人，患腦出血、高血壓的人比較多，和其生活習慣不無關係的。把體內多餘的鹽份，由汗尿中排出體外，而發揮這種功能的是腎臟。

▼換言之，腎機能不好的話，體內鹽份濃度就無法調節。所以，為了防止攝取過多的鹽份，需攝取無鹽食物，以減輕腎的負擔。

無鹽食

13 太乾淨也會生病！可怕的無菌生活！

▼這是很久以前的事，因電器故障，在紐約曾有過長時間的停電，而引起騷動。好幾天，夜晚的摩天樓被黑暗所籠罩，電梯停止了，連洗澡也成了不可能的狀態。其結果，聽說增加了懷孕的女性，在紐約市的所有醫院中，皮膚病的患者也增加了。這是因為平常習慣於文明的環境，而幾乎近於無菌狀態的紐約市民，因停電而無法洗澡，以致於身生雜菌，而引起了皮膚病患者增加的現象。但究竟其真實性如何？

▼所謂無菌狀態，就是沒有細菌的狀態。人乃至於其他動物，在未出生前的胎兒時期，幾乎是無菌狀態。但是在出生的過程中，由於吃到了母親體內的大腸菌及乳酸菌，所以出生時已不是無菌了。在健康人的體內，有數十億的大腸菌。但，這些細菌，大多是屬於非病原性，且有預防其他有害細菌侵入體內繁殖的功能。所以

一般生下吃到乳酸菌的孩子，要比剖腹生產而幾乎無菌的孩子還健康。

▼因新藥的發明，而為了測驗藥的效力，往往以無菌的老鼠為實驗品。這種老鼠是在消滅外界所有細菌之後，在隔離的無菌室以剖腹方法取出的小老鼠，然後又以無菌奶來飼育。像這樣長大的無菌動物比一般動物柔弱，即使對普通動物無害的細菌，也會因全無抵抗力，而容易致死。

▼這樣看來，與其保持近於無菌狀態，倒不如經常和霍亂、傷寒等病原菌除外的其他微生物一起生活較為安全。這樣一來，對人體來說，也許比較舒適吧。因為寄生於腸內的大腸菌及乳酸菌中，有些能合成人體所不可欠缺的，食物消化分解素及維他命的營養分。但是在游泳池、海水浴場等大腸菌很多的地方，其他的病原菌也很多，所以最好不要喝它。

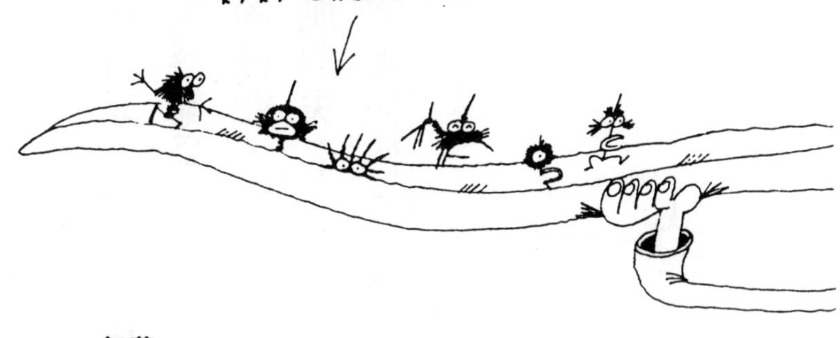

無菌

14

張開眼睛或緊閉嘴唇都是肌肉的機能，如果肌肉失去機能將會如何？

▼你是否曾經想過，要走路或動一動手指都需要肌肉的收縮？因為這是太過於平常的小事，所以你才不去注意，但如果肌肉不收縮的話，事情就很嚴重了。

你們要從母體出生時，也要靠肌肉的收縮，此外將血液輸送到全身及將空氣吸入肺內或從淚腺流出眼淚，這一切都是由於肌肉收縮的功能。

▼但有一種病，肌肉的收縮會突然減弱，而不能發揮本來機能，叫做肌無力症。大家都知道要使肌肉收縮，必須由腦的命令，正確地傳達到肌肉。所以肌無力症，可能是這命令傳達發生故障所引起的。

肌無力症的患者中，七十~八〇%會表現出眼肌及臉面肌的障礙。眼肌的機能遲鈍的話，眼皮會下垂，把東西看成雙重。臉面肌的機能遲鈍時，會引起發音不準、咀嚼不良、吞嚥困難。其他，也有手腳肌肉、呼吸肌肉功能減弱的病例。

▼即使不患肌無力症，有時也會發生肌肉收縮力減弱的症狀。要使肌肉正常收縮，必需有ATP（腺甘三磷酸）及糖原質等重要物質，所以這些物質缺乏時，收縮力就會減弱。又，肌肉沒有充分的氧氣，收縮力也會減弱。

當肌肉工作過度時，身體本身為了補充肌肉氧氣的不足，而呼吸會變得急促，心跳也加快。肌肉的收縮速度增加到二倍時，所需的氧氣需要八倍，所以跑步時呼吸急促也是當然的。

長時間使用肌肉時，會產生乳酸的一種化合物，使肌肉的收縮困難。這情形就是疲勞的現象。

▼全身的肌肉約有六百五十。以重量來說男性佔體重的四十％，女性佔體重的三十％。所以我們不要太過分使用肌肉，以避免造成收縮力的減弱。

肌無力症

15 手術上所不可欠缺的麻醉止痛的秘密

▼誰都怕痛。例如治療蛀牙，最好早期治療，否則如怕痛而延遲了治療會更痛。你是否有過因牙痛甚劇，而祈禱神明「只要能消除這痛苦，我什麼事都願意做！」的經驗呢？

▼自古以來，人都是這樣。所以一直在研究減輕痛苦的方法。於是去尋找具有麻醉作用的植物。也因此而發現使用大麻、鴉片、曼陀羅、罌粟等麻醉藥。但有時這些麻醉劑不但效果不好，且有時會有強烈的副作用，因此，這些麻醉藥的用法非常困難。所以，一八〇五年日本的醫生華岡青洲，首先發明了從植物製造麻醉藥的方法，而使乳癌的手術成功。

▼以化學方法製造出現代所用的各種麻醉劑，是十九世紀的後半才開始的。

在沒有麻醉劑的時代要動手術必需有好幾個大力士

來壓緊患者或以木棍打昏患者，而使他無法動彈或讓他喝酒醉倒等等，採用令人難以相信的辦法來施行手術。所以有很多患者因手術的打擊而死的，比因患病而死的人還要多。因而，手術快速就成為名醫的條件之一。

▼麻醉劑具有什麼樣的功能呢?它是能使痛覺的中樞神經機能暫時停止的藥劑。也就是說，先對大腦產生作用，使它失去意識而沒有知覺。然後對脊髓發生作用，鬆弛手腳及全身肌肉，使它無法動彈。到此，麻醉已發揮了止痛的效果了。此時，如果再增加藥量，就對延髓發生了作用而容易導致死亡。因為延髓是控制和呼吸運動等調節生命重要運動的器官。

▼像這樣對中樞神經發生作用的麻醉，稱為全身麻醉。像治療蛀牙，只是麻醉神經的一部分，以消除局部的痛感，即稱為局部麻醉。

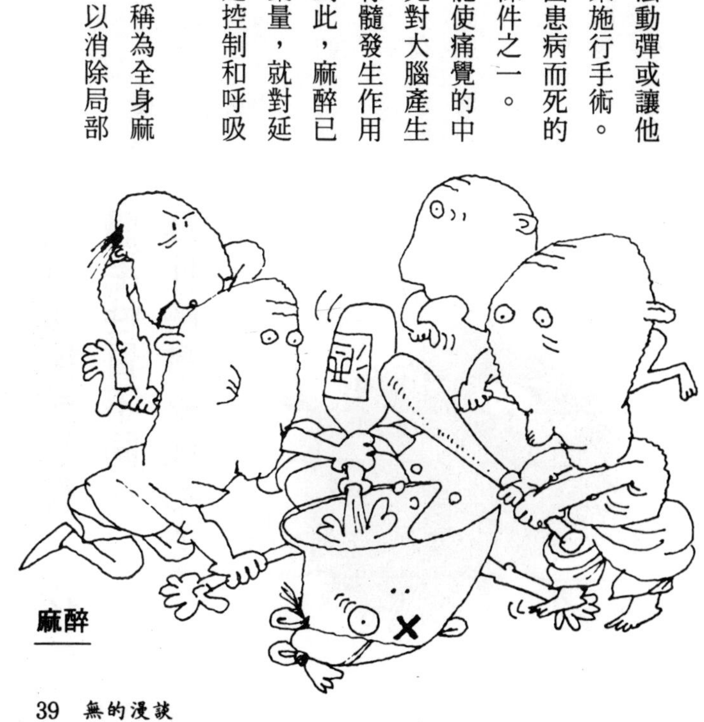

麻醉

16 沒有頭髮與沒有體毛性質不同。為什麼會長性毛？

▼長在性器周圍的體毛叫性毛。應長出體毛而沒長出的叫無毛症，而不是特別的病症。尤其在思春期，不但會長出性毛，而且在身體各部也會急速變化。這種變化，在氣候溫暖的地方，大約在十一、十二歲開始，在寒帶地區也有到了十六歲還沒變化的。通常男性比女性慢兩年出現。

▼能使身體發生變化的，是在體內所製造的荷爾蒙所引起。首先，是從位在腦下側如豌豆大的腦下垂體所分泌出來的少量生殖腺刺激荷爾蒙開始。由此荷爾蒙的刺激，男性荷爾蒙、女性荷爾蒙會分泌得很旺盛，而引起身體的變化。

▼由於荷爾蒙的作用，男性體毛在腋下、胸部、小腿、性器周圍及鼻下、下巴局部較濃，令人感覺全身是毛。女子的話，只有腋下及性器周圍。有的女子，無此

體毛。這種無毛症，雖不是疾病，但也是很大的煩惱。

▼無毛症是由於荷爾蒙的分泌不正常所引起的。幫助頭髮發育的是女性荷爾蒙。所以女性比較沒有禿頭的煩惱。但是促進體毛發育的是副腎皮質所分泌出來的男性素的男性荷爾蒙。所以男性很少有不長體毛，而男性荷爾蒙分泌過少的女性就不容易長體毛。雖然不長體毛，實際上無甚大礙，但總覺得不對勁。其治療法，是注射或塗上男性荷爾蒙，據說相當有效。

▼與無毛症相反的是多毛症。一九七七年九月三十日，在中國東北地區，出生了一個全身長體毛的男孩，而轟動一時。這小孩無毛的地方只有嘴唇、手掌及腳掌。

這男孩可能是先天性的多毛症，體毛這種東西，太多或太少都是令人困擾的。

無毛症

17

告訴你如何製造無氣力和如何從無氣力超脫出來的方法。

▼最近在老師們之間，流行著一句「三不症」的新語，你知道嗎？三不是指「不玩、不學、不工作」，據說像這種無氣力的學生正積極的增加中。而什麼都不想做的這種無生氣和最近青少年的自殺風氣有密切的關係。

▼人的氣力與腦有關，這是一般的常識，你知道吧。大腦的四〇%是思考，決定意志和精神活動的場所，稱為前頭葉。若將前頭葉割除時，人就立刻會發呆而變成無氣力。前頭葉的切斷手術，在一九三六年葡萄牙醫師莫尼斯首先施行，最近叫做腦葉切除術，但被認為是損傷人格的手術而引起問題。切斷前頭葉使人無氣力是一種犯罪的行為，但是對正常人也可以不加以手術而使他變成無氣力。

▼例如：沒有自由而又事事受控制的單調生活，會產生無氣力。最好的例子是監獄。每天在同一時刻被叫

醒，吃同樣的食物，在同一時刻睡覺，二十四小時的被監視。在這樣完全受限制的規律生活中，人就會失去自主性及個性而變成無氣力。

▼在某地有人正在研究，人在沒有變化而一直處於同樣狀態中，將會變成如何？這地方即是名古屋大學的環境醫學研究所。根據這一實驗，在黑暗無人的房間住了三～四天的人，開始的兩天有唱歌或自言自語或空思幻想的反應，從第三天起，就有幻覺且變成完全無氣力的狀態。

▼有變化的單調生活，像聯考時的孤獨感，會產生無氣力，所以大家必須注意。

▼最後，我要介紹五木寬之的小說『青年們！朝向荒野』給各位。如果從小就抱著將來要成為公務員來過一輩子，是沒出息的！若果各位有鬥志，應向苦難挑戰以磨練自己，且要有飛向廣大世界的氣力才好。

無氣力

▼沒有人不知道宮本武藏與佐佐木小次郎的「嚴流島的決鬥」吧。至於小次郎被打敗的理由雖然很多，例如功夫差、個性不同，及背向太陽的武藏站在有利的地方等，可是最重要的還是精神力的差別。

▼等了很久的小次郎心裡開始不安，所以將刀鞘丟進海裡而被武藏取笑，因此小次郎心更加亂了。這是在於他精神修養不足而種下的敗因。

在這次的決鬥得勝的武藏，後來在他的『五輪書』中，說明劍道的極意是在於「空」。武藏之所以能在其他流派的比鬥中連戰連勝，不僅是靠他揮刀的技術，而是靠精神的領悟而得勝。

▼比劍時心中稍有動搖，就會導致敗亡。在日本的江戶時代，有一本叫『葉隱』的書中說「武士道，就是不怕死」。但是不願死，是人的本性，因此不但要鍛鍊

18 到了無念無想無心的境地，一切都可以看見。此劍的極意是什麼？

劍術，同時也要鍛鍊精神，以領悟劍的極意。這是超越生死、拋棄俗念，而通往禪的領悟境界。

▼禪是坐禪，拋棄雜念，修行到無心的境界。無心或無念無想、無我的心理狀態，被認為是精神發展的最高階段。劍的極意，也就是在於無心。如果能達到無心的境界，一切都會看透且能在瞬間作正確的判斷。為了考試而緊張或是被嘮叨幾句就生氣的人，最好修行到無心的境界才是重要的。

▼「無事」是指生活中沒有值得一提的變化，而不在於平安健康或無所事事。禪語所謂的「無事」，是指人拋開凡夫所考慮的，按照自己本來的面目，亦即按「自然」的狀態來生活。

無念無想

19

好強之心是失敗之母。到了「無心」的境界才能成功

▼有一首流行歌曲「不要想贏，想贏的話就會輸……」，的確不錯，你勝心愈強，愈會緊張，以致於連一半的實力也發揮不出來了。你在運動或考試時是否有過這樣的經驗？自古以來，無心的境地被認為是劍的奧秘，那麼無心是什麼呢？

▼如果是「無心」，會不會變成一個冷酷無情的人，但事實上並不然。冷酷無情的人並不叫做無心，而是叫做無心的人。所謂無心，就是在忘我的狀態中去從事某件事，例如，「忘我地工作」、「像無心的赤子一樣……」等等。無心就是拋棄自我，如雲、樹、石融化於大自然中的狀態般的心境。無心是宗教生活的最高境地，是構成宗教生活的中心思想。但，無心是很困難達到的。

▼在柔道方面也有所謂自然體的形式。即是雙腳張

開與肩同寬，兩手自然下垂的形式。像這樣沒有架式的一種形式，是無論前後、左右、任何方面受到攻擊，都能自由自在的變化，而不會被摔倒的最自然形式。同理，心的狀態如能拋棄自我而達到無心的境地，實力就可以充分的發揮了。

▼人往往在火災時會發揮傻力，這也是很有趣的。即使是平常無法搬動的衣櫥，這時在無我狀態中也可以搬出去了。這是因為已達到了無心境地的緣故。所以你也不要太過於苛求自己，只要以無心的境界來學習，任何東西都會有意外的收穫。

▼禪語所謂的「無心」，就是指在無心之處才有作用，也叫做「無作之妙用」。

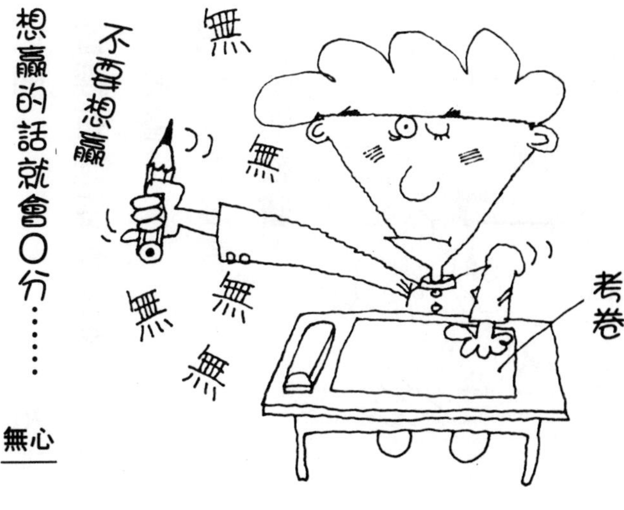

無心

20 以前曾經有過沒有文字的社會！現在也有沒有文字的社會！

▼文字與使用火一樣，被認為是人類的最大發明。以眼睛所看得見的形態來記錄東西或事情，使用文字是最正確又最方便的了。現在，由於電話、錄音機、電視的發達，也許不用文字也可以生活，但是為了要流傳下來——即沒有比使用文字更方便、更詳細而可以流傳得更好方法了。但是沒有電信機器，也沒有文字的「無文字社會」現在仍存在著。

▼與現代文明接觸很少的中南美的內陸森林中及阿拉斯加和格陵蘭等極北地區人們的生活，到現在還是個完全沒有文字的「無文字社會」—也就是所謂的未開發社會或動物社會。而研究文字還沒被發明以前的「原始社會」的情況來說，調查這些地區即有很大的價值。

▼「無文字社會」與無法傳達語言的地方互相聯絡時，多半以手勢或旗幟或以繪畫、繩子的結頭、樹木的雕刻等所表示的意義來傳達情報。但是，以這種方法，

欲將自己所想的事讓對方正確並且詳細知道，是很困難的。

▼那麼，無文字社會是公共關係不艮的社會嗎?其實並不然。數百萬年的人類歷史中，無文字的社會非常長久，而文字發明以後，才有五千年的歷史。在五十年前，不會使用文字的人占全世界人口的九〇%以上。那麼，文字社會與無文字社會比較的話，有何不同?由人的價值來說，在本質上沒有什麼不同。

▼現在在「文字社會」裡也發生無文字化的事情，化妝室的標誌及交通標識即是其中之一。只要一看標誌，就立刻可以知道表示什麼。所以，這些標誌具有比文字更優越的一面。因為語言不通的外國人只要一看這些標誌就可以了解。電視及電影的發達，也加速了以直接的影像訴之於視覺的趨向。所以，字較少的戲劇畫面及漫畫較受歡迎，也是這個道理。

無文字社會

21 不抵抗，而事實上是在抵抗的方法，你知道嗎？

▼假如被人欺凌時，你是一直不抵抗或反抗？對暴力以暴制暴時，如果對方比你強，你就會吃虧。那麼，弱者對強者的橫暴，應如何抵抗呢？

▼一個方法是一直採取無抵抗的態度。這也是在基督教、佛教、印度教等等，從宗教的立場時常所採取的反對運動的方法。因為他們認爲即使受到迫害，抵抗也是不値得的。

▼無抵抗主義最有名的，是印度的民族英雄甘地。但是，甘地是以印度教的精神，對英國支配印度，主張採取不合作的無抵抗主義，而並不是純粹的無抵抗。甘地的無抵抗主義，正確的說，應該是非暴力抵抗。例如，採取不合作、不服從、罷工等等，以大衆的運動，來抵抗英國的支配。

▼非暴力抵抗，有各種方法。最多的是以語言或態

度來表明反對的意志。在越南，為了抵抗對佛教徒的彈壓，和尚在大衆面前發生自焚而死的事。此外，還有所謂的絕食抗議，以及多人聚集而作的示威遊行。這些都是表示反抗的一種戰術。

▼以武力抵抗的方法是最強烈的抵抗。例如：革命、叛亂等等。

人民有權利抵抗政府的壓制，這在一七七六年的美國獨立宣言及一七八九年法國的人權宣言裡說得很清楚。但是，現在沒有以憲法明文承認抵抗權的國家，可是在民主主義的國家，承認集會、遊行等的非暴力抵抗的活動。

▼你們對不講理的同學，也可以使用各種方法加以抵抗。

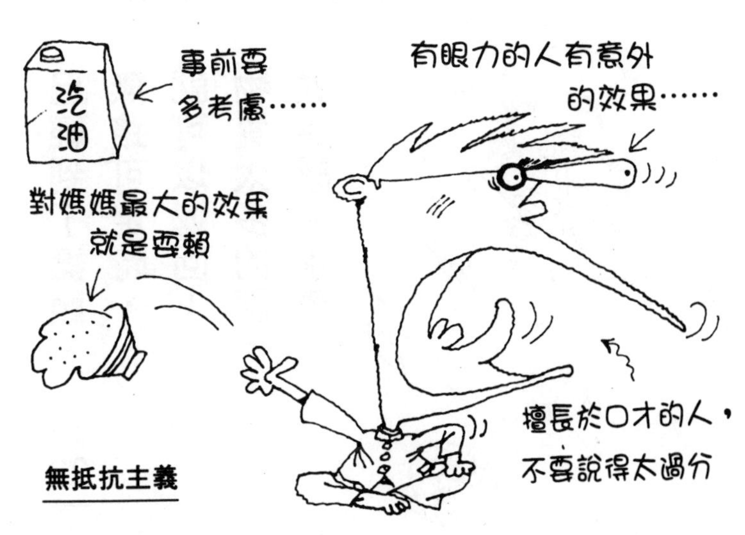

無抵抗主義

已經到了盡頭，無路可走時，就可以返回！物質太多的話，就應該追求無！

▼我們已經知道，有「無」的思想，是從中國的老子開始。但是認為只要以「無」做為根底，什麼都不會產生的想法，最近也受到外國的注意，你知道嗎？因科學技術的發達而過著富裕生活的美國和歐洲各國，到底發生什麼事呢？

▼在美國等的國家，產生嬉皮的年輕人，已經是一、二十年前的事了。他們丟棄了富有而文明的都市生活，而到了山上、海灘及公園去露營，彈著吉他，唱著民謠。想要在物質文明的現代化社會中，尋回失去的溫暖之心。他們愛太陽、愛土地、愛花、愛朋友，討厭戰爭、公害及破壞自然的事。因此，他們所強烈關心的事是，說明「無」的東方思想—即關於瑜伽術及禪的神秘事物。他們否定神的存在，標榜無神論，與自然為友，連語言也加以否定的無的思想，他們感到很有意義。

▼過去幾世紀以來，世界是以「有」為基本的四方思想為中心的活動。物質和能源……一切都以眼睛看得見的東西來表示，以數量的表示來評估它的價值。發明了汽車、飛機、興建大樓，連氫彈也製造出來了。但是，嬉皮們認為由於科學的文明，而人類所製造出來的東西究竟還是無。這是為什麼？

▼他們說，人類只是將埋藏於土中的東西挖掘出來，而又加以改變形態而已。如吃蘋果的蟲一樣，一再的挖著地球。而巨大化的物質社會中心，漸漸地形成一片空洞！好像一棵古老的大樹，被腐蝕了一個洞般的在物質社會形成一個空空的心洞。

▼他們領悟到了即使有再多的物質，也得不到心靈的平靜。所以，他們認為只有無法抓住的「無」的思想，才能得到心靈的安靜。

嬉皮

23 不流血能轉變社會體制嗎？歷史上革命的真相

▼不流血革命就是不流血而完成的革命。知道歷史的人都知道這是英國的光榮革命。

十七世紀的前半，在當時英國專制君主查理一世的支配下，以被稱為清教徒的基督教一派為中心的議會派，因反對專制而與貴族所支持的王黨派發生戰爭。結果，清教徒打敗王黨派，一六四九年克倫威爾殺死國王，宣佈共和體制，而清教徒革命成功了。但是他死了以後，王制又再度復活。由於國王是專制君王，所以國會並廢了國王，迎接荷蘭總督威廉作為英國國王。

▼這次革命，並不像清教徒革命，發生流血事變，而使議會派戰勝王權，因此稱為光榮革命，是具有代表性的不流血革命的例子。但這只不過是統治者換人，嚴格的說並不是革命，而是政變。但是，在英國市民革命的潮流中，這是具有清教徒革命勝利的意義。

▼為什麽過去的不流血革命被稱為光榮革命？這是因為革命本是支配體制的變革，由於革命被支配者的農民可以變成統治者。像這樣由政治而改變整體社會，必定會引起內亂而發生流血事變。所以沒有發生流血的革命稱為名譽革命。

▼革命本來的意義是「由天之命來改革」。換句話說，當某一王朝無道，天的意志就會改變，由另一王朝加以消滅並取代之。傳說中的堯讓位給舜，舜再讓給禹，像這樣不將帝位傳子孫，而讓給賢德的人叫禪讓。所以堯舜禪讓，可說是世界上最早的不流血革命。

▼但是，在世界史上，能稱為真正革命的，只有清教徒革命、法國革命、蘇俄的十月革命，卻都是以奪權為目的的流血事變。所以不流血革命，也許是壁上畫般的理想而已。

無血革命

▼保持孤獨的冥想是很不錯的，但是，擁有可以將自己青春煩惱的問題告訴他的Classmate也是很難得的。Class除了分類、階層的意思之外，還有階級的意思。所謂階級如：上將、上校、上尉等的軍隊階級，及拳擊的輕量級、中量級、重量級，及舉重的階級，又有表示風力的分級等等。但是這裡所說的Class是社會階級。

▼無階級的社會是不分階級的社會，就如過著狩獵採集生活的古代原始社會一樣。當然，原始時代是沒有階級的對立和階級的意識存在。而使階級的思想在社會上有明顯地位的，是提倡『資本論』的馬克斯。在歷史發展的階段中，馬克斯說明了階級是在社會裡，根據具有生產的手段與否而自然發生出來的。

▼在原始時代人們靠著捕捉大象、鹿，或採集種子來維生，直到有子農耕以後，人們才開始使用生產工具

24

董事長、職員都沒有區別的公司。如果成為無階級的社會，就不能神氣了。

馬克斯

。但當時的生產工具非常幼稚且在社會上也無分業，即使有族人的長者存在，也沒有具有特權的支配者，所以在集團中並沒有階級的分別。

不久，隨著家庭制度的產生，農業的生產也提高了，因此，產生了儲存產物而獲得權力的人。由觀測天體的技術來指導播種的人，或軍事上的指導人就逐漸將多餘的產物私有化，而提高自己的地位而漸漸形成了階級社會。

▼到了封建社會，貴族、聖職者、武士、農民的身分區別已很明顯，並且產生了上流社會和下層社會、富者和貧者、雇主和員工的階級意識。甚至於連人都加以私有化，對人如對家畜一樣看待的例子也不少。

▼也許馬克斯認為這樣的階級區別，可以經過勞工獨裁的過程而達到無階級的社會。但是，實際上在禁止私有制度且由國家管理生產手段的社會主義國家，也因精神勞動和肉體勞動有別，同時收入及地位的差別無法解決，所以，實現無階級的社會非常困難。

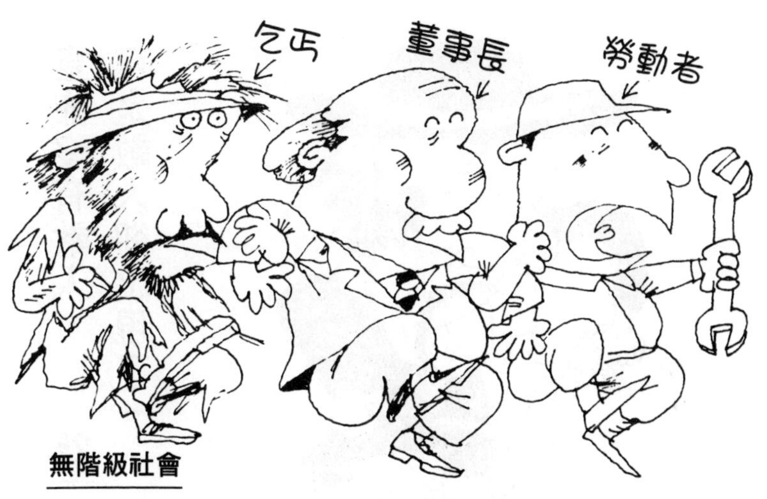

無階級社會

25 宣佈沒有敵人，可是敵人卻出現了。

▼無敵就是沒有人可與他敵對的強手，如果大家彼此都認識這一點，世界上可能就不會發生戰爭。因為早就知道了勝負的結果……。

▼與無敵類似的話是「不敵」。不敵就是不把敵人認為敵人的態度。那麼，無敵和不敵有什麼差別？無敵就是客觀的承認對方的強大，不敵就是主觀的判斷。而對無敵的對方挑戰就是不敵。

▼所以，宣佈「我是無敵」時，就會被懷有不敵之念的勇者所包圍，這是常情。「居安思危」這句話具有很深的真理，所以任何時代、任何國家，在太平時代所發展的技術及所儲備的財富，大多被作為戰爭的準備。

▼說到無敵，一定會令人連想到十六世紀的西班牙無敵艦隊。當時的西班牙是橫跨大西洋、太平洋、印度洋的大帝國，稱霸世界，因此，被稱為「日不落國」。

▼但是，當時出現了很多與無敵的西班牙敵對，欲使祂成為「日落之國」的國家，以不敵的國家姿態出現也是當然的。因此，西班牙想盡辦法，為了保持無敵國家的地位而在軍事預算方面花費了很大的國費，政治、經濟也就因此而荒廢了。

▼當西班牙正忙於守備之際，英國的產業發展已達到了顛峰狀態，於是開始向外擴張，無敵的西班牙和不敵的英國的衝突也就無法避免了。

▼一五八八年戰爭終於爆發了，西班牙所組織的無敵艦隊開始向英法海峽進攻。但是處於守備的西班牙，無法對付英國的新式大砲攻擊，終於戰敗了。

▼越是無敵的國家越有敵對的敵人。誇耀無敵的人往往會被無數的敵人所包圍。但是，你如何呢？

無敵、不敵

26

Anarchy是什麼意思？無政府是什麼樣的情況？

▼約會時不守時及不注重穿著而散漫的人叫做Anarchy。

但Anarchy本是因發生內亂而成為無政府的狀態，所以這種用法不太恰當。過去當然也有終生自由奔放地過著無政府主義生活的人，但他們的生活相當嚴酷，對於以打破舊價值觀及權威為目的的軟弱墮落者是望塵莫及的。

▼宗教和平主義的文學家托魯斯泰，也可說是一個無政府主義者。在晚年，他離開了墨守舊權威的家庭，而在外地流浪，終於孤單的死去。

▼古典的無政府主義者是麥克斯・斯提那。這個名字是他寫「唯一者和其所有」時所用的筆名，本名是斯密特。他認為每個人必須具有與其他的人及其他的集團鬥爭的權利才是最高的權利。所以與主張必須彼此合作

的普魯頓對立。

印刷工出身的普魯頓創造了「財產就是盜竊」的十九世紀的政治標語，被稱為無政府主義之父。俄國貴族出身的革命煽動家巴克寧，認為奪取人民自由的一切原因是在於國家。

▼以他們倆人的活動為中心的無政府主義，一八八〇年代在混亂的法國、西班牙、意大利逐漸發展。但是無政府主義，因否定國家之後的建設計畫太軟弱，所以敗給了主張由勞工建立國家的馬克斯的社會主義鬥爭，而衰退下來。

無政府主義

▼有一部叫『絞刑台的旋律』的電影。這部電影是描寫在一九二七年八月二十三日被判坐電椅處死的沙可與曼若提兩個死囚的真實故事。

他們倆人所犯的罪是殺人罪，當時美國麻州的法律是殺人者必死。由於他們是無政府主義者，雖然證據不足甚至已逮到真犯，但還是無辜被判死刑。後來，世界各國要求再審，因此，在五十年後的一九七七年才宣佈誤審，兩人被判無罪，但已無法挽回了。這對死刑的是非，引起很大的爭論。

▼在美國，有的州具有死刑法，但也有主張廢止死刑的州。一九七五年，在美國曾有一男人，想犯死刑的罪，於是到具有死刑的州去殺人，這是在美國才會發生的怪事。而在美國，沒有死刑法的州，最高刑是懲役刑。一九六九年，德克薩斯州的E・W・亨利被判了五百九十四年的懲役刑。但是沒有這麼長壽的人，所以五百

被判刑五百九十四年。即使是死了，也無法出監獄。

27

九十四年的懲役刑等於我國的無期徒刑。這一來，即使是死了，也無法出監獄。

在美國，曾經被判最長的懲役刑的是查理·豪尼克的一千八百九十九年。

▼雖然被判無期徒刑，但也不一定要在監獄中活到死為止。被判一千八百九十九年懲役刑的查理，在八十四歲時被釋放，實際在監獄的時間是六十四年。西德無期徒刑的受刑者的平均刑期是十八～二十年，比起歐洲其他國家算是相當長久。但西德認為無期徒刑會破壞人格，所以，現在正作廢止的運動。

▼但是，在世界上，最高刑為死刑的國家比無期徒刑的國家多。在歐洲除了以斷頭台出名的法國和西班牙、希臘之外，大多數國家都已經廢止了死刑。據說全世界的七十五％以上的國家，還維持著死刑法。

根據聯合國世界人權宣言的規定，正在提倡廢止死刑的運動，但為期還很遙遠。

無期徒刑

▼與人打架被壓倒在地，不能動彈，而很不服氣的說「我輸了，一切都聽你了！」你是否有過這樣的經驗？這時不管那一個對那一個錯，將武器及其他一切交給敵人向他投降，叫無條件投降。

▼一九四五年八月十五日，日本接受波茨坦宣言，第二次世界大戰因此結束。關於這件事，在日本教科書裡常說「日本接受無條件投降」，其實如何呢？

日本對聯合國的簽字儀式，是在同年九月二日在東京灣上的密蘇里號戰艦舉行，在舉行的前一天，日本代表的外務大臣重光葵晉見天皇說：「陛下，日本刀斷矢盡，不得不接受無條件投降……。」

▼那麼，勝利的美國對無條件投降的看法如何？對於這件事，有這樣的傳說。同年的九月六日，美國國務院和陸海軍的文件經過總統的承諾，寄給麥克阿瑟將軍

次無理開始的戰爭終於無條件結束。

28

麥克阿瑟

。這是寄給聯合國最高司令官的文章，明記聯合國和日本的關係是「不是站在契約的基礎之上，而是站在無條件投降的基礎之上」。從此已經有一百年的美、日外交關係一筆勾銷。聯合國以日本的無條件投降為前提，占領並統治日本。

▼但是，日本的學者，認為日本並不是無條件投降。他們認為「日本雖然投降了，但是根據波茨坦宣言的幾項條件的承諾之後，才投降的，所以不是無條件投降」。日本從中日戰爭到太平洋戰爭，連續了十五年，因此，國力衰弱不得不接受宣言。然在波士坦宣言裡也明記了「全日本國軍隊須無條件投降」的條款。

但，無論如何，會給大多數人帶來悲慘命運的戰爭，總是不應該無條件就發動的。

無條件投降

29

雖不存在，但一直活在生活中的怪獸「麒麟」「龍」「鳳凰」

▼麒麟並不是生長在非洲的長頸鹿，而是中國人所想像的動物。

▼麒麟和鹿很相似，尾巴像牛，蹄像馬，毛是黃色，有角。在這世界上很少出現，為了慶祝聖天子的出現，數百年只出現一次。

古時中國的百獸之王，並不是獅子而是麒麟。所以稱較優秀的小孩或年輕人為「麒麟兒」。

▼龍也是古代中國人所想像的動物，與麒麟同樣受尊敬。龍的喉嚨下，有一片長著方向相反的鱗片，叫做逆鱗。觸摸到逆鱗時，龍會發怒，所以，對於一國天子的極怒，稱為逆鱗。

有一句話叫「龍頭蛇尾」，意思是頭像龍一樣優秀，但尾卻像蛇一樣低劣。

▼你是否知道，自古以來就被稱為鳥之王的是什麼

鳥嗎?正確的答案是「鳳凰」。鳳凰是天上的鳥，雄稱鳳，雌稱凰，象徵兩人永久的愛。

當天子誕生時，被認為象徵天下太平而出現。與鳳凰相似的鳥，在西方稱為不死鳥。對老選手，稱其寶刀未老為不死鳥。

▼不死鳥的起原在埃及。每天晚上以自己的火自焚而死，到了第二天早上又復活過來而象徵著太陽。

所以，英國人伊利沙白女王及蘇格蘭的瑪麗女王的徽章是以不死鳥為圖案，表示君主接受神的旨意而治理國家。

不存在的動物

30

不常使用時，人的頭腦、身體都會漸漸退化。

▼平常喜愛運動的人，都知道經常鍛鍊的話，肌肉就會發達。相反的，不繼續鍛鍊的話就會衰弱。不只是肌肉，連其他器官也是一樣，若不使用時，也會慢慢退化。會使耳朵活動的肌肉、盲腸、尾骨等等，都是已經退化的器官。

▼那麼，人以外的其他動物如何呢？像在沒有陽光的地方生存的生物，眼睛就會退化。舉一例，如大家所熟悉鼹鼠，它是生長在地下的洞內，吃著蚯蚓或昆蟲的幼蟲而活著的一種哺乳動物。其眼睛非常小，隱藏在毛裡，所以根本不發生作用，但它的嗅覺、觸覺卻非常發達。

同樣在地下生活的哺乳類，有裸鼠、暴牙鼠等等，他們的眼睛也是不發生作用。

▼在黑暗的地窖裡，也有眼睛退化的動物。如洞蠑螈、盲鯢魚的兩棲類，像盲鯢魚的魚類、盲埋葬蟲等的

昆蟲類。此外，還有沒有眼睛的螃蟹、蝦等。它們沒有眼睛，但甲殼類和昆蟲類，有觸角及非常長的腳，且全身長著毛。

我們可以觀察出脊椎動物的洞蠑螈及盲魚眼睛退化的情形。其剛孵出時有眼睛，隨著成長眼睛越小，最後被皮膚所覆蓋。

▼黑暗的世界不只是地窖。在二千公尺以上的深海也是光線所不能到達的黑暗世界。

在這樣深的海中，也有魚及螃蟹等的甲殼類。它們也是沒有眼睛的甲殼類。我們調查這些甲殼類時，可以發現，在一千公尺左右，約有五〇%，在四千公尺以上的深度，有九十九～一〇〇%無眼睛。

這些動物雖無眼睛，但魚的側線器官非常發達，鰭的一部分長得像觸角一樣的長。以螃蟹來說，腳長得像觸角一樣很細長。

你們的腦筋，不使用的話，也會退化。要當心！

無眼的動物

31 蜜蜂會螫人嗎？是否有無刺的蜜蜂，或即使有刺也不會螫人的蜜蜂？

▼美國有部一大群的蜜蜂襲擊人的可怕電影。如果你認為電影是虛構的，那就錯了。

南美的巴西，在三十年前，從聖堡羅大學研究室逃出了非洲產的蜜蜂，野性大發的刺殺了一百零五人。最近又證實了一部分的蜜蜂也飛到了委內瑞拉。這樣下去，在一九九〇年初期，飛到北美洲。

你們總以為蜜蜂會螫人，但是，難道沒有不長刺的蜜蜂或不會螫人的蜜蜂嗎？

▼沒有刺的蜜蜂是有的。但也不是什麼特別的種類，例如大盟、長腳蜂，都是沒有刺的蜜蜂。

蜜蜂的刺，本是產卵用的管＝產卵管。在長期的進化過程中，在腹內與兩個毒腺連接，所以刺下時，毒液就被送了出來。

所以會螫人的有刺（產卵管）的是雌蜂，雄蜂就沒有刺，雖然看起來很可怕，但不會螫人。不過，你要抓它時，它會彎曲腹部，裝成要螫你的樣子，實在很狡猾。

▼有很多種雖然有刺，但不會螫人的蜂。如樹蜂和鋸蜂。胸與腹之間直接成長筒狀的樹蜂或鋸蜂在蜂中屬於原始的種類，不會螫人。此外，還有體形很小而無眼的小蜜蜂也不會螫人。還有雖具有產卵管的姬蜂，也不會螫人。刺最長的是馬尾蜂，長度有身體的數倍，以刺入樹木中天牛的幼蟲產卵，也不會螫人。

▼會螫人的蜜蜂，有腹腰極細的特徵。例如：大盄、長腳蜂、蜜蜂、玳瑁蜂、土蜂等等，所以要特別小心。

▼蜜蜂的毒刺有鈎，所以刺下時就拔不起來。如果用手揮拭它時，會因內臟附著在刺針上而死。

但是，同屬於蜂類的南美無針鋒，也許它沒有什麼敵人，所以有特殊的進化而成為無針的蜜蜂。

無刺針的蜜蜂

32 不結網的蜘蛛，反而會做一個很巧妙的陷阱……。

▼說到蜘蛛，總是會令人想到它會結網。看到地上或葉子上的蜘蛛，如果以為它是從蜘蛛網上掉下的，那就錯了。蜘蛛中，也有很多不結網的。

▼那麼，不結網的蜘蛛是吃什麼東西呢？

如果你的回答是吃草或樹汁，那你就沒資格當生物學家，應改行了。如果，你的答案是抓昆蟲來吃，那麼，它如何抓住飛行中的昆蟲？問題即在此。

▼有的蜘蛛，會做與網很相似的陷阱。在盆景的樹根或塌塌米下的小柱，如果你看到一個柔軟輕輕的白色圓袋，那即是地蜘的巢。如果昆蟲黏在袋子時，蜘蛛會爬出來吃。

▼螲蟷在土中挖洞，在入口處做一個門遮蓋起來。如果昆蟲在這上面走過的話，螲蟷就將它抓進巢內吃。此外毒蜘蛛中，也有在土中挖洞的，而在洞的入口處周

圍結網，昆蟲碰到這個網時就黏住了，而成為毒蜘蛛的食物。

一般的毒蜘蛛，白天藏在枯葉及垃圾下，晚上才出來活動。

▼也有躡手躡腳，當接近獵物時，才撲上去吃的蜘蛛。其代表是蠅虎。也有侍機而動的蜘蛛。其代表是花蜘蛛。花蜘蛛全身綠色，如在花上就無法分辨出來。當虻或蜜蜂飛來時，它很快的就撲上去。

▼再來介紹更特殊的蜘蛛。在奧大利亞和印度的走蜘蛛，它去等待小魚，侍機抓來吃。還有住在水中，晚間抓水中的昆蟲來吃的水蜘蛛。

▼蜘蛛捕捉昆蟲的方法有這麼多，你們想要抓住情人的心，是用何種方法呢？

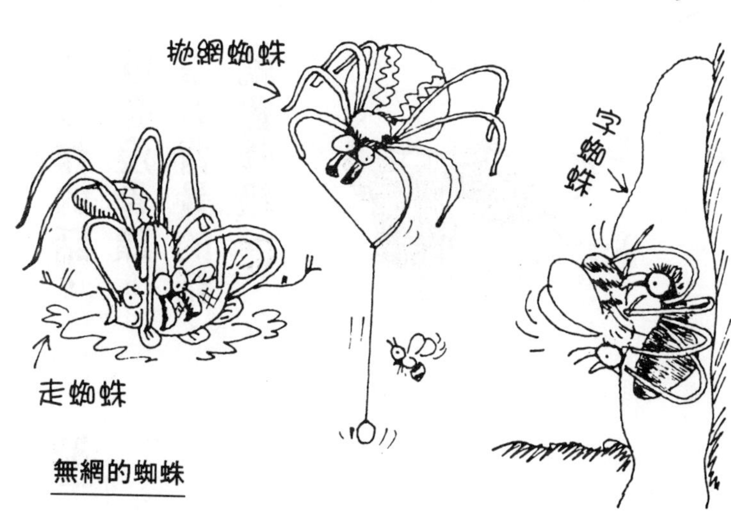

無網的蜘蛛

33

不振作的話，就是沒骨頭。沒有背骨的話，就會降級。

▼在你的周圍，是否有軟弱無背骨的人？這種人就是無脊椎的人。

那麼，無脊椎動物，就是沒有脊椎的動物，也就是沒有背骨的動物。哺乳類、鳥類、爬蟲類、魚類等都是具有背骨的動物，只占所有動物的五％而已。所以，世界上大部分的動物都是無脊椎動物。

▼你是否聽過，海蜇為了騙猴子的肝失敗，所以被猴子打成無骨頭的故事？因此像海蜇那樣軟綿綿無背骨的動物，就會令人想到章魚、蚯蚓、海參、水母。

無脊椎動物必須要有脊椎以外的東西來支撐身體。因此，貝殼利用它堅硬的殼來支撐，烏龜以它堅硬皮膚的一部分作為甲殼來支撐身體。昆蟲全身被一種堅硬的角質殼所覆蓋，並且一節一節的，使它容易活動。具有很好外骨骼的昆蟲，在脊椎動物中是最多的。

▼是否有背骨，與身體是否能長大有很大的關係。脊椎動物會長大，且因關節而可將骨骼彎向任何方向，所以運動的幅度很大。具有外骨骼的昆蟲的蝦、螃蟹之類，隨著身體的長大，骨骼會逐漸綳緊，所以有必須換新的缺點，叫做脫皮。

▼我們不能了解，如何從無脊柱的動物產生具有背骨的動物。在四億年前所活著的無顎類，就有軟骨的背骨，在這之前所出現的蛞蝓魚的祖先，是沒有背骨的，只有叫做脊索的很柔軟的神經索而已。

▼我們人類在胎兒初期，身長僅二～三毫米時，還有脊索存在。我們看背骨發達史，就知道無脊椎動物演變為脊椎動物之間的複雜進化。

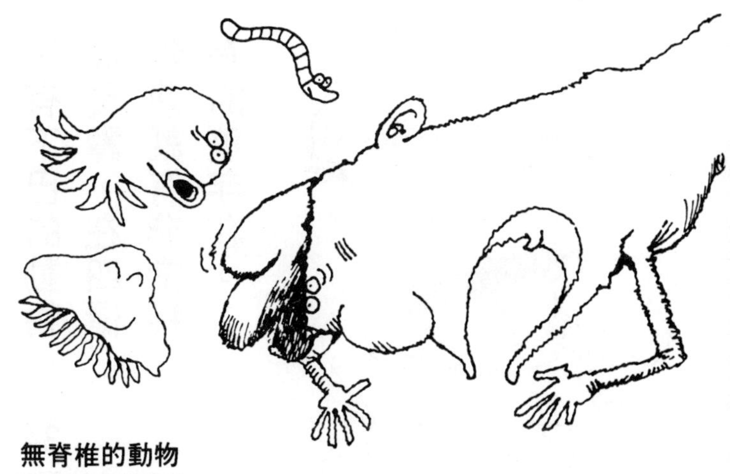

無脊椎的動物

34

沒有下巴的動物很長壽，在四億年前就有非常稀奇的魚存在。

▼如果你沒有下巴，你認為會如何？如無下巴的話，任何好吃的東西都不能吃了，每天只能喝水和湯。這樣一來，食物的種類就受大幅度的限制而無體力，軟綿綿如病人。所以，下巴對動物來說，非常重要。

但是在這世界上，還存在著沒有下巴的與衆不同的動物（無顎類）。你想得到嗎？

▼在這無顎類的動物中，現在還繼續生存的動物是八目鰻和盲鰻。八目鰻看起來好像有八個眼睛，因而得名，其實眼睛只有一對，其餘是作呼吸用的鰓孔。形狀像鰻的八目鰻，體形細長又黏黏的，其實它與鰻無關。

▼那麼，沒有下巴，如何吃東西呢？這在它圓形的嘴有特殊發達的牙齒，如吸盤會吸進魚，而利用它像銼刀一樣的舌頭劃破魚的皮膚，以吸收它的體液，因為它無下巴，所以魚肉無法吃，只能吸收體液。如水蛭。眼

睛已經退化的盲鰻也是一樣。

▼但是，這種無顎類，有的早在幾億年前就已滅種而成化石。是叫甲皮類，皮膚很硬，像水中游泳的魚一樣的動物。由於好像帶著盔甲一樣，所以也叫甲冑魚類或盔甲魚類。這種甲皮類最繁榮的時期是從地質時代初期到古生代，大約三億五千萬～四億三千萬年前，它是與具有下巴的動物，在生存競爭中被淘汰。因為它們抵不過有下巴，什麼東西都可吃的魚類。

▼那麼，下巴是如何發達起來的？根據調查，令人感到相當意外！下巴是由鰓變形而發達起來的。鰓是魚或蝌蚪等在水中生活的動物所具有的呼吸器官，由鰓弓的軟骨性支柱所支撐，這個鰓弓後來就變成了下巴。將鰓的一部分變化為下巴的脊椎動物，後來有很輝煌的發展。

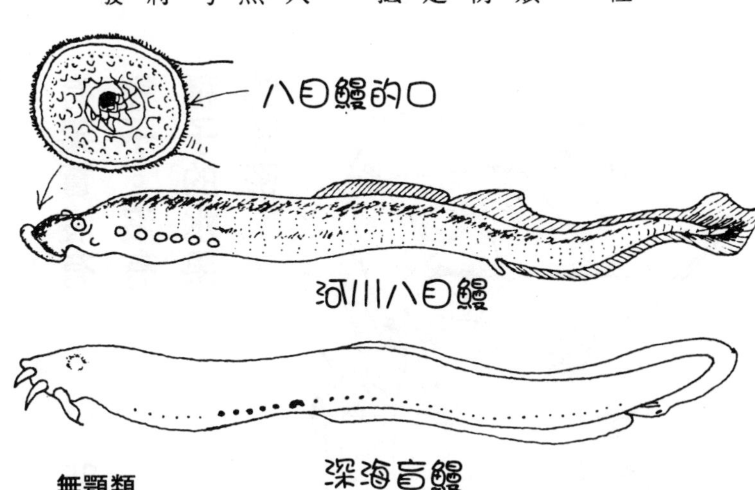

無顎類

▼是先有蛋還是先有雞，這個問題如果從由蛋孵出的雞所生產的，這樣的範圍來想就不能解決了。如果由無子西瓜和無子葡萄來解釋，就很簡單了。

這些無子水果是一種品種改良的農業技術的產物，所以只要你知道這一點，謎底就可以解開了。

雖說品種改良，但方法卻很多。如果要製造無子水果的話，就要採取花蕊與花粉混合，也就是不受精就結實的所謂「單為結果」的方法。

▼自然界的水果，如任其自然而不處理，很容易造成單為結果，例如：香蕉、鳳梨、無花果、溫州橘，這些水果都沒有種子。所以能作為單為結果的水果，通常沒有種子。但是葡萄及西瓜，不會單為結果，必須靠人工的方法。

例如葡萄，以調節成長的荷爾蒙來處理時，花蕊還未完全完成時就已開花，花粉就不會受精。在這樣情況

有果實沒有種子。沒有種子的水果的秘密。

35

之下，只有果肉的部分會成長，而產生了無子葡萄。Deluware種的無子葡萄就是這樣產生的。這裡所使用的荷爾蒙叫Gilberellin，是由日本人在稻米的病原菌裡所發現的。

▼西瓜和葡萄不同。生物的細胞裡面，有與遺傳有關的染色體，而數量是因品種而不同，一般的品種即使代代改變其染色體數量也不會變化，而一部分的品種叫做倍數體，其數量會增加成二倍、三倍……。其中的三倍體很容易單為結果，所以無子西瓜就是利用三倍體。但是在自然環境之下，很不容易有三倍體。因此，將西瓜以Colchicine的藥物來處理，作成數倍體，然後再和普通品種的二倍體混合，在混合時—（2＋4）÷2＝3，就成了三倍體的種子。

▼無子水果不會產生種子，所以每年必須作這種處理。這是生產無子水果的秘密。

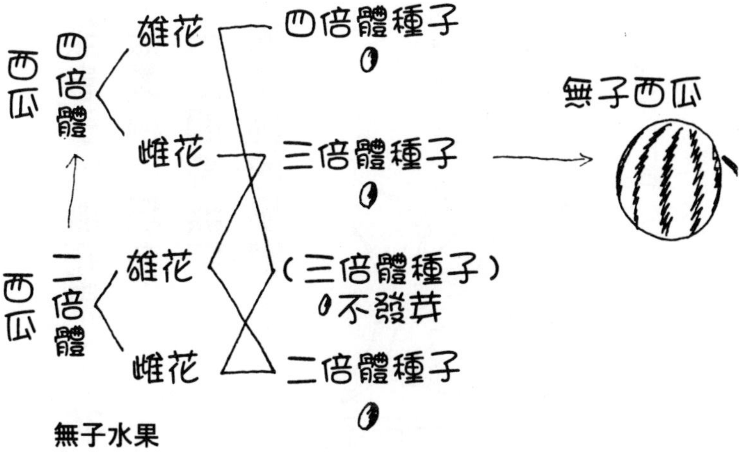

西瓜
四倍體
雄花
雌花
西瓜
二倍體
雄花
雌花
四倍體種子
三倍體種子
（三倍體種子）
不發芽
二倍體種子
無子西瓜

無子水果

36 無患子、無花果、無憂樹，現在來揭開帶無字的植物的秘密。

▼在名稱上帶有「無」字的東西有很多，現在來介紹二、三個在植物方面比較特殊的。第一是無患子，高二十公尺，直徑一公尺，在寺院院內常看到。在秋天，會長出直徑二公分大的黃蝎色的果實。這果實可當肥皂來使用。果實中有一顆黑色種仔，當作唸珠使用之外，也可當作羽毛球用。

▼為什麼叫無患子？也許是能作為羽毛球用，堅硬不容易壞而得名吧。無患子的產地分佈在中國、喜馬拉雅山、日本的關東以南。

▼無花果——因不開花就結果而得名，看起來像果實的是花床的部分所發達起來的，其內側有很多小花，在小花內一粒粒的才是真正的果實。

在中國稱為映日果，十七世紀時傳到日本，才被稱為無花果，原產地是阿拉伯。

無患子

自古以來就被栽種的植物，有關它的有趣故事很多，詳細情形請看下一章的無花果。無花果的白色樹液可以作為痔瘡的藥，也可作為驅除蛔蟲的驅蟲劑，葉子對神經痛有效，可煮來作為洗澡水。栽培法是以插枝方式，兩年後就可長出果實。

▼無憂樹——據說釋迦誕生在這樹下時，母子平安，所以將此樹命名為無憂樹。無憂樹是與藤相似的屬於豆科的蔓植物。會開紅色的一叢叢的花，叫無憂華。

附有無字的樹木

37

如果無開花的時節，人生也不會結果。不開花的果實。

▼如果大家以為「無花果」是不開花就成熟的話，請注意聽我講。因為果實在植物學來說，也是花的一部分。所以不開花就會結果是不可能的。

▼請你們仔細看一看。將無花果剝開，內部有很多小花，換句話說，花是開在果實內，所以從外部看不到。

▼通常，果實是因為子房很發達，所以才稱為真正的果實。此外，還有萼、花軸、花托等所構成的果實，稱為偽果。無花果是花托非常發達的植物，真正的果實是很硬的閉果。例如，荷蘭草莓、蓮花等都是屬於這一類。

▼原產地是在地中海的地區。於紀元前就在敍利亞、希臘等的沿岸地區有出產。目前在西班牙、葡萄牙、美國等地有大量栽植，而大量生產無花果、果醬、果汁

等。

▼為什麼知道紀元前的事情?因為在聖經裡有記述。這是人誕生時，吃了禁果的亞當和夏娃，在伊甸園的故事。

「吃了禁果以後的兩人，眼睛亮了，才發現自己是裸體，因此用無花果的葉子圍在腰部」，所以無花果也可說是人類服飾史的開始。

▼別名「乳實」「乳木」的無花果，當你採它的葉子時就會從蒂下分泌出如牛乳的汁。成份是膽固醇和蛋白質，可以驅除害蟲。將樹葉晒乾，泡水洗澡，對痔瘡及神經痛有效。

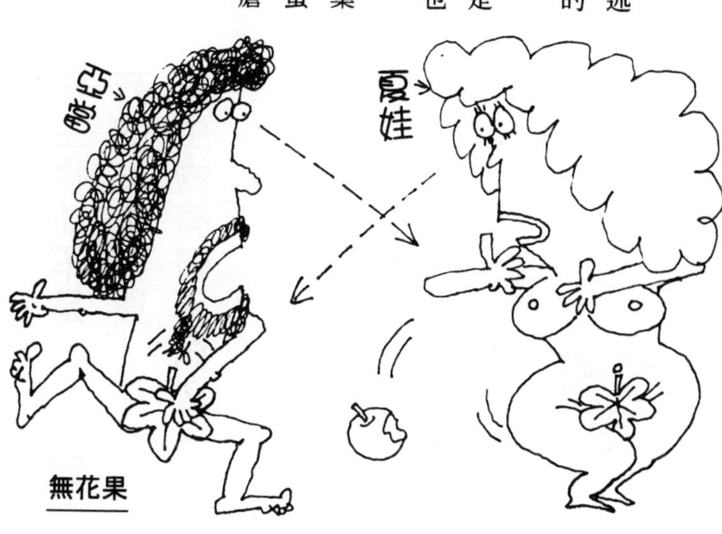

無花果

38

無生物並不是死的。生物與無生物有何不同？

▼動物、植物、照相機和摩托車等的機器，你喜歡那一種？有的喜歡貓、有的喜歡狗，也有的喜歡收音機的機器之類，這二種人，可以說是喜歡生物與無生物的二群。那麼，究竟生物與無生物有何不同？

▼貓生貓，狗生狗，蒲公英的種子會成為蒲公英，麥的種子會成為麥，這是理所當然的事。但是照相機不會生照相機，摩托車不會生摩托車。所以，生物的第一特徵是在於可以生出與自己同樣的東西來。

▼但是，構成生物的材料，與普通到處所有的物質並無兩樣。人身體的水份大約七〇%，而形成身體的蛋白質及脂肪，是由碳、氫、氧所構成的。且血液中需要鐵分，骨骼中也含有鈣及燐。那麼，這樣一來，生物與無生物的差別就無法清楚了。

▼事實上，生物與無生物的分別是不清楚。而這件

事證明了一件大事，即一九三五年所發生的事。就是美國的史丹勒發表了「從煙草的葉子（長在煙園）取出了可以引起疾病的濾過性病毒的結晶」。濾過性病毒就是能引起流行性感冒、小兒痲痺等的病原體，被認為是一種生物。但是，把它當作像冰或食鹽的「結晶」一樣的取出，因此轟動了全世界的科學家。

▼後來經過調查、研究，發現有的濾過性病毒，在六角柱的頭部底下，有圓筒形的尾巴，且前端有六條觸手，很像登陸月球的太空船。這個濾過性病毒，當它登陸攻擊目標的細菌時，會由頭部經過尾巴把遺傳因子注入細菌。這個遺傳因子，就是作為生物第一特徵的「能製造與自己相同東西的主角」在細菌內濾過性病毒會相繼的增加，而細菌就死了。像這樣的濾過性病毒，是具有遺傳因子的生物，但也具有可以結晶化的無生物的性質。所以，到底生物是什麼？令人混淆不清。

無生物

39

沒有公的也可以生殖。沒有男人，也可以生孩子嗎？

▼不久前「未婚媽媽」成為社會話題，這只不過是在法律上沒經過結婚的階段，但在生物學來說是按照必經的手續才生孩子的，所以並不為奇。但既沒結婚也沒受精，而一再生孩子的女性，是會令人驚異的。但是，在自然界，這種例子常見，叫無性生殖，你知道嗎？

▼植物的雄蕊花粉附著於雌蕊，成熟之後成為種子。動物也是由公和母交尾、受精之後，才生出小動物。像這樣由兩性來生殖的，叫有性生殖。

但是，像分裂而增加的細菌，或插木而繁殖的菊花，這樣即使無雌雄的關係，也會繁殖的生物很多。這一類的生殖稱為無性生殖。

▼無性生殖並不是只有細菌、植物而已。也有稱為蚜蟲的小昆蟲及油蟲。油蟲會在樹幹或樹皮底下過冬，到了春天產卵，但所孵化出來的都是有翅膀的雌油蟲。

這種雌的油蟲，由於無雄蟲的交配，所以一再生產無翅膀的油蟲。這叫做單為發生，也是無性生殖之一。

▼生物從無性生殖轉變為有性生殖，是有相當的理由的。無性生殖只能生產與母體完全一樣的生物。像油蟲，就如孫悟空，將毛一吹，就生出小猴子來一樣，如果有雌雄的分別的話，就可以生出雌、雄的不同體。

地球的環境，不斷的變化。這時，如果世界上只有單性的話，容易滅亡。所以，分為兩性，就如生物的保險一樣。

▼但是，以無性生殖而生出的油蟲。到了秋天，也會生出雄的。這時期的雄與雌都有美麗的翅膀，而飛上空中結婚之後，雌把受精卵產在樹幹上。這是因為無性生殖無法渡過嚴寒的冬天，因此才在春天產卵。所以在這世界上，還是應有男女兩性的存在，才是完美的。

無性生值

40 沒有公的也可以生公的，但要生母的，就需要精子。

▼把雞蛋加熱會變成什麽？如果你的答案是小雞或雞，是不對的，正確的答案是熟蛋。在超級市場或在食品店所賣的蛋都是「無精蛋」，也就是沒有受精的蛋，所以不管你如何加熱保溫，都不會孵出小雞來。頂多變成半熟蛋而已。

▼無論母雞生多少蛋，如無公雞交配，這些蛋全都是無精蛋。如果想要產下能孵出小雞的蛋，就必須交配受精。受精的蛋＝有精蛋，剝開查看時，可以看到白色混濁的東西。這個精子，進入卵內加溫時，蛋才會引起細胞分裂，而開始產生生命。但生物的世界是很不可思議的，也有無精卵會產生生命的。

▼即使不受精，也會生孩子，好像是耶穌基督的母親瑪莉亞一樣——這種例子在蜜蜂、螞蟻之類很常見。以蜜蜂為例，當女王蜂飛出蜂巢去新婚旅行時，在高空

與雄蜂交配，把肚內精子帶裝滿後才回來。有時會與數隻的雄蜂作七、八次的交配，然後就終生連續產卵。

▼女王蜂所產下的卵會變成工蜂。如果工蜂所製造的房間太小，女王蜂就會自動的產下未受精卵。數天後，從這些未受精的卵所孵出的全是雄蜂。受到雄蜂的精子而出生的都是雌蜂，而從無精卵所出生的是雄蜂。這是很奇怪的事。

除了蜜蜂和長腳蜂等的蜂類外，也有不需精子可生產下一代的昆蟲。例如，蟑螂的小昆蟲，春天裡可不經與雄蟑螂交配而能一再的生下小蟑螂。既不受精而可生下小蟑螂，如聖母瑪莉亞一樣。但蟑螂在秋天為了要產下能越冬的卵，就必須交配生出有精的卵。

無精卵

41

你可以不用「E」這個字而來說話嗎？

▼翻開英文字典的正中部分通常是M。如這本字典從頭到尾完全編入的話，應該是這樣。所以，要判定字典編輯的好壞，可以利用這種方法來鑑定。你也翻翻字典看看吧。

▼一本字典就有這樣有趣的發現，如在我們實際使用的語言和文學上，你將會發現更有趣的事。

▼在英文字母中，使用最多的是「E」。He she house都有「E」，很多的單字都使用E。但在這世界上，往往有一切冒險家或怪人，喜歡做出別人無法做到的奇事。曾經有一個人不用最常用的「E」字而寫成了一本小說。

這個人即是萊特（Eruest Vincent Wright）其人。在一九三九年他所發表的一本二百六十九頁相當厚的小說『Gadsby』裡，連一個E字也沒有。

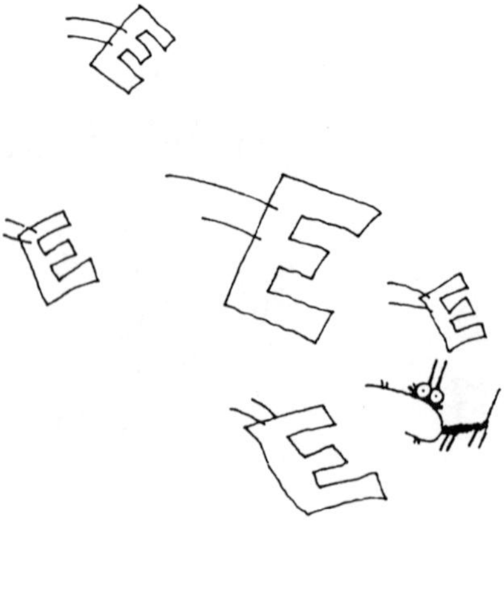

▼此外，也有與這相同的例子。這是在德國的故事。話題的主角名為普魯曼（Burman）是一位詩人。在德語裡R是很常用的字。但，這位詩人卻連一個R字都不用，而作了一百三十篇的詩。不但如此，普魯曼在他的七十二年生涯中的最後十七年間，日常的談話中也從來沒有使用過R的發音。

▼在葡萄牙也有類似的例子，有一個人，出版了五篇故事的小說，而在這本小說中的每一篇故事都各有一個母音不用，且不使用的母音每一篇都不相同。

沒有E的故事

42 吸收沒顏色的水就會變成有顏色，那是什麼？

▼居住在地球上，想要過著沒有水的生活是不可能的，但現在，我們來看看「無法想像」的世界吧。

罐裝的餅乾或像照相機那一類精密機械的包裝容器裡，通常一定放著含有矽膠凝體的乾燥劑。它是裝在四～五公分大的方形小袋子裡。而這個袋子上一定印有「乾燥劑」的字樣。這是因為在潮濕的空氣中，為了保護餅乾或機械不受濕氣損害的安全措施。

▼矽膠凝體本來是無色的，但放在空氣中就會吸收空中的水分，而慢慢變成有顏色。其變化是由粉紅→淡紫→藍色的過程。變成藍色之後，就無法作為乾燥劑來使用了。但請不要將它丟掉，你可以將內部乾燥劑倒出，放在類似平底鍋的容器內，以微火加熱，顏色就會慢慢變淡。要把它變成完全無色是不大容易，但這樣就可以回復乾燥劑的作用了。

▼那麼，為什麼矽膠凝體能當乾燥劑使用？因為矽

膠凝體好像月球的表面，有很多凹凸不平的洞，其總表面積很大。僅是一公克其表面積就有四百五十平方公尺。而且矽膠凝體的物質，表面很容易與水分子結合。所以用少量的矽膠凝體就能吸收大量的水分。像這樣，全是洞的物質叫就「多孔性物質」。

▼矽膠凝體之外，作為乾燥劑使用的多孔性物質叫做活性碳。不但能吸收水份也可以吸收各種氣體的分子。其吸收力極強。所以被放於冰箱作脫臭劑使用。此時，它會吸收可以造成臭味的分子。

▼無水物的顏色和吸收水份後的顏色不同的物質相當多。你們做實驗時，經常看到的硫酸銅是最好的例子。普通是呈藍色外觀很漂亮的結晶，這是與水結合的狀態。若是，將結晶加熱去掉水分而成無水物時，就會變成無色。同時會變形，而由結晶變成粉末。由這個例子，相信你們可以了解無水世界的不可思議的特性。

無水物

43 宇宙是否有邊？

▼人自從誕生到這世界以來，也許由於在地球上生活的關係，會對爬高及巨大的事物感到興趣。並且會懷疑到底宇宙是否有邊？但曾經有一個人說宇宙是無限的在擴大，結果被焚而死。

▼那麼，宇宙是否無限的在擴大呢？根據物理學家賈莫夫（Jamow）的「火團理論」及夫里特曼的宇宙膨脹論，認為在一百數十億年前，在某處發生大爆炸，誕生了宇宙，從此就一直不斷地在膨脹。如此說來，宇宙應該有邊，但因目前的望遠鏡，只能看到數十億光年的範圍。然而根據推測，宇宙的一百五十億光年的遠方有「地平線」，此地平線更遠的物體，我們的眼睛是無法看得到的。

▼有關宇宙構造的理論很多。但那一個理論是正確，目前還不知道。前面所說的賈莫夫和夫里特曼的理論，據說業已經過實驗證實。現在我們來看看宇宙膨脹的事實。

▼這個膨脹中的宇宙到底會膨脹到何時?或是會膨脹到某一個階段而停止?也就是說宇宙到底是閉著,還是開著?關於這問題的關鍵在宇宙的密度。

據目前的推測,密度是每十的三十乘立方公分才有一公克的重量,所以一立方公尺中才有一個原子的程度。宇宙的密度是如此的稀薄,如果宇宙是閉著的話,至少需要十倍的密度,所以目前學者認為宇宙是開著,且不斷在無限膨脹中。

但是在宇宙,可能另有人們所觀測不到的質量存在。這些存在的質量,如果是過去所發現質量的十倍的話,宇宙到了某一個階段就可能會轉變為收縮,那麼宇宙就是有限而不是無限了。

▼這樣看來,宇宙究竟有多大還是個未知數。也許有人會對小小的一個人能想到這麼龐大的事而感嘆。所以現在留給你們的一條路,是讓你們走向科幻小說狂,或去向宇宙挑戰或躲避它不問不聞。

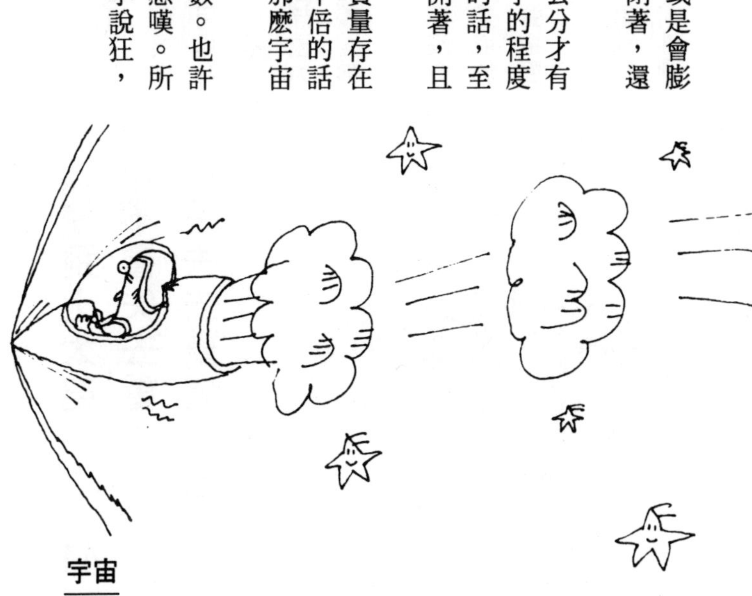

宇宙

44

即使飛上太空，也不會失去重力，只是失去重量而已

▼你們常常使用無重力狀態這句話吧。但這一句話根本是錯誤，應該要改稱為無重量狀態，你知道嗎？

▼重力是具有重量的某一個物體，吸引另一個具有重量的物體的能力。只要太空任何一個地方有一個具有重量的物體，無論這個物體離太空多遠，其重量只是減弱而已，絕不會消失。極端地說，只要有你在想無重力狀態時，你的身邊就已經有重力的存在。換句話說，無重力狀態是不存在的。

▼那麼，在地球周圍旋轉的人造衛星，為什麼沒有重量？畢竟能在地球周圍旋轉的人造衛星，應該是處於地球重力的支配圈內，怎麼會變成無重量呢。你會這麼想，也是難怪的。不過我們動動腦筋來想一想吧。

騎腳踏車要轉彎時，你怎麼辦？如果你保持直線行駛的姿態，突然一轉彎，一定會失去平衡，而倒向外側

。也就是說，作旋轉運動時，一定會產生由內側向外側的某種力量。這力量即是離心力。

▼這種離心力，當人造衛星繞著地球旋轉時也會產生。因為衛星被向內的地球引力所吸引同時由於在旋轉，因此也會產生向外的離心力。很穩定的在地球周圍旋轉的衛星，由於這兩種力量彼此互相抵消，所以看起來好像是無力狀態。對衛星內部的東西來說情況也是一樣。重量會消失的秘密即在此。所以重量會消失，而變成無重量狀態，但決不會變成無重力狀態。

▼無重量狀態是否只能以人造衛星在宇宙間才能形成嗎？其實並不然。以重力加速度落下的物體，也會產生無重量狀態。

　太空人就是利用飛機沿著垂直拋物線的曲線飛行時產生的無重量狀態來訓練的。

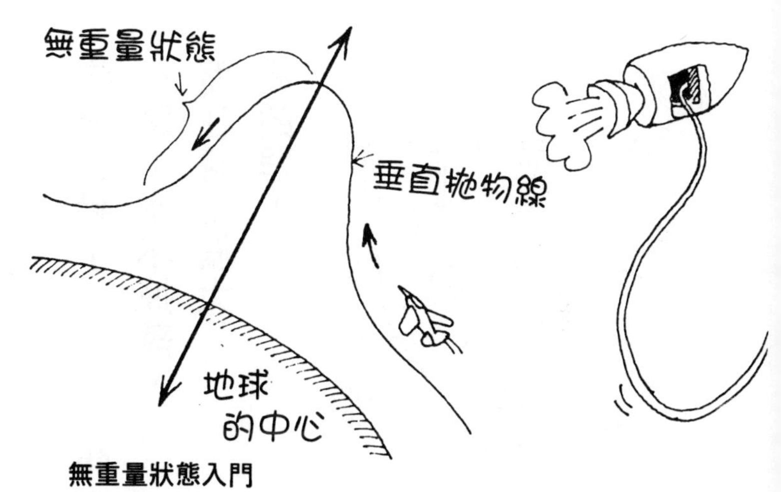

無重量狀態入門

▼有一則故事說：有位樵夫正在為斧頭掉進池塘裡而感到為難時，突然見到一個女神由水裡取出一把金斧頭和銀斧頭問他，這是不是他的斧頭，來試探他是否誠實。

這個故事是因為大家都知道鐵、金、銀是比水重，所以才能成立。如果有人在斧頭不下沈的世界長大時，這個人一定會把它當成科幻小說，相反的，從地球要到無重量世界去的人，可能會有一種超越想像的奇妙經驗。

▼實際上，作為一個太空飛行員而且經過相當訓練的人，進入無重量狀態之後不久，會有種像要掉下的錯覺的恐怖感。同時無法判斷時間與方向，好像自己已被周圍的環境所隔離一般。

▼人的身體必須在地心引力的作用下才能發揮正常的功能。所以如果無引力的話，我們身體所具備的適應環境的構造會失調而使身體及意識發生變化。

45 牛頓也嚇了一跳！水不掉落，而在臉上擴大成凶器！

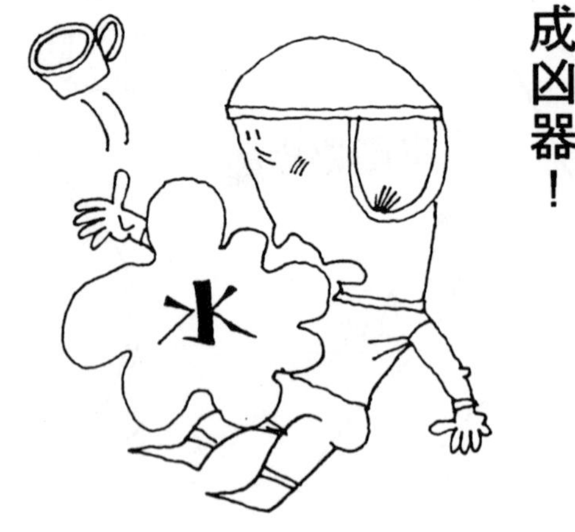

如果想要在無重量的世界生活的話，必須要有身體意識變調的心理準備。即使像喝水這種很平常的行動，也必須要有脫離平常的習慣來重新檢討的心理準備。

▼在地球上，只要將杯子向口部傾斜，水就進入口中，注入喉嚨而不會口渴。如果在無重量狀態下，就必須用小口的容器，利用細管吸。因為在這樣無重量的世界，不管你如何將杯子傾斜，水也不會掉下來。如果想將水拿出的話，只有用湯匙去舀，或搖動杯子，水才能出來，而且當你要將水放進口中，碰到嘴唇時，你的臉部會突然浸到水，如果不小心，可能會窒息而死。所以，水在此地變成很可怕的東西。在地球上，我們根本沒有注意到水的本性會成為殺人凶器。由此看來，無重量狀態實在很可怕。

▼據說不久人類將可乘太空船到太空旅行，所以為了將來的太空旅行，我們應多學習這種無重量狀態的知識吧。

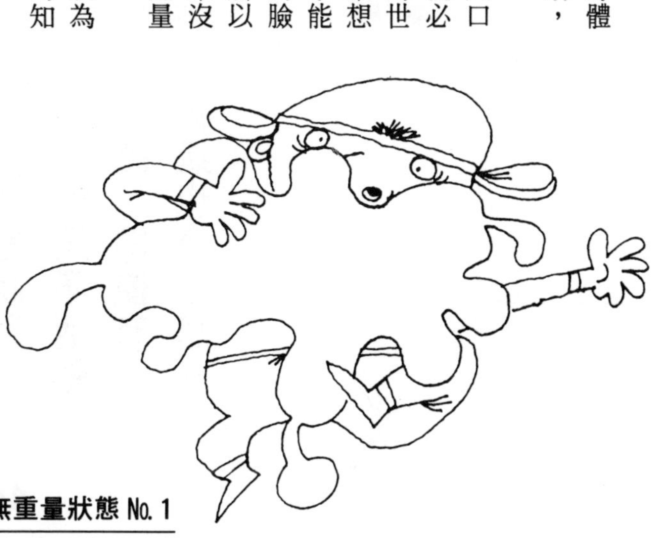

無重量狀態 No. 1

46

在無重量狀態中，如果不活動的話，即使有氧氣也會窒息。

▼在僅只喝水就會有生命危險的無重量狀態中，還有其他各種有趣的現象。

就拿與我們生活關係最密切的呼吸來說吧。太空中並沒有氧氣。所以，在太空船內一定要攜帶氧氣，以供應船室的氧氣。但是，不久之後全部人員仍會窒息。有氧氣而會窒息是件很奇怪的事。這時，至少必須製造人工的氣流，或者人體本身不斷的活動，否則會發生無法吸收氧氣的嚴重現象。

▼人在呼吸時，會吐出二氧化碳，如果地球上有風的話，就利用風帶走，無風的話，也會因口中吐出的氣體比氣溫高而產生對流，將口邊的二氧化碳吹走。所以，在口邊或鼻孔邊，時常有新鮮的空氣，除非有特別的事故，否則不會窒息。但是風或對流風都是因為地球引力的關係而產生，在無重量狀態下，就不會產生對流。

所以吐出的二氧化碳，一直停留在嘴邊，愈呼吸濃度愈高而導致窒息。

▼人的呼吸作用，可以說是因體內碳水化合物的燃燒所引起的反應。也就是燃燒反應的一種。因此在無重量狀態中，發生的呼吸障礙，在一般的燃燒中也會發生。

▼如能在太空船內點燃火燭，可能會給太空飛行人一點安慰。但是，在太空船內，蠟燭不會發生火焰。開始時，燭心的周圍變紅，而只有燭心的地方會融化而消化。

在地球上，蠟燭會發出火焰，是因為火的熱把滲透在燭心裡的蠟蒸發。隨著對流在空氣中與氧氣產生反應而燃燒。在無對流的太空世界裡，燃燒也會「窒息」，所以連蠟燭的火焰都無法產生。

你對無重量世界的奇怪現象已經了解了嗎？

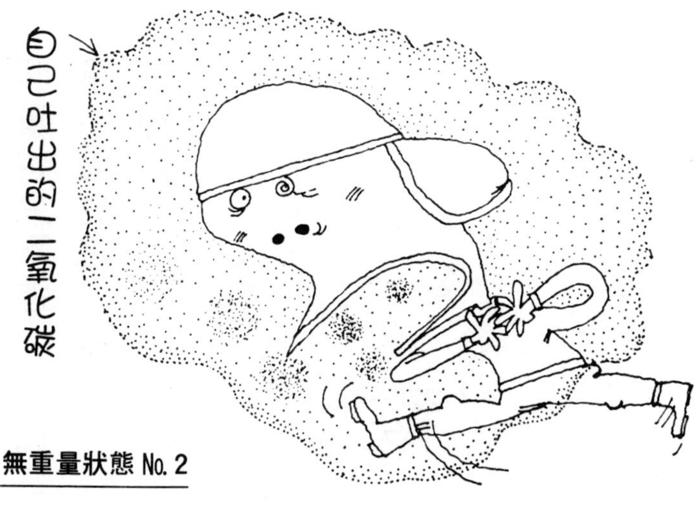

無重量狀態 No. 2

47 興奮也只不過是十億分之一秒的短暫生命

▼「時間就是金錢」「一寸光陰一寸金」，人們似乎很重視時間，可是卻無法控制時間。不看時鐘，數到十秒，而其差異在一秒之內的人並不多。全世界中，做分秒必爭的工作的人，除了負責發射火箭的人及廣播電台的人之外，再沒有了。

▼但我們仔細觀察自然界時，可以發現只發生一秒鐘的事好像有很多。

例如打雷。雖然眼睛會留下殘像，感覺到發光的時間很長，其實真正發光的時間僅有千分之一秒或百分之一秒而已。

▼用原子或分子來照射光時，會構成原子及分子的電子，從光得到能源而進入的興奮狀態。但興奮的情形並不是一直保持著。它們必須把所得的能源又排出外面，回復到穩定的狀態。我們測定知道興奮狀態的壽命，只有十億分之一秒。這是多麼的短啊！

短暫的時間

▼還有其他生命更短的東西。大家都知道，原子及分子是由更小的素粒子所構成。我們現在並不知道素粒子到底有多少種類，而很多的素粒子形狀各不相同。「顏色」及「味道」不一樣，「媚力」及「它的奇妙程度」也都不同，且有很多的變化。其變化之多與人類一樣，所以其壽命的長短也各不同。在這樣的情況下，生命最短的是中性π中間子。這個粒子的壽命，是一億分之一的一億分之一，所以令人感覺它才剛剛產生就立刻消失了。

▼那麼，這樣的時間到底如何的短？我們把它改為秒速三十萬公里的光速來計算。

打雷時閃光的光速大約是每秒三千公里。分子在興奮狀態時大約三十公分。光線最強的中性π中間子是○・○○○○○三公分，比泡沫的壁還薄。中性π中間子的壽命實在太短了。

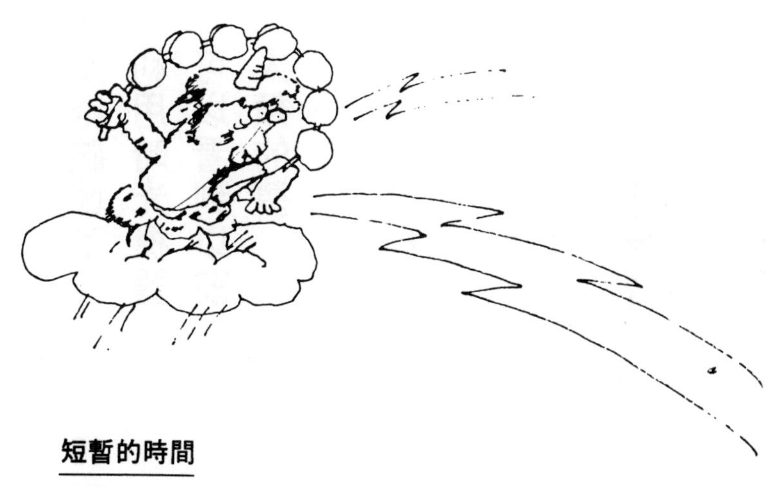

48

是誰破壞了利用時光機器，可以看到以前人類的夢

▼時光機器經常在科幻小說中出現。所謂時光機器就是將現在在此地的人，瞬間帶回到數百年前或數億年前的世界的一種裝置。這通路就叫時間隧道。

像這樣的裝置，常在小說或電影中出現，這是因為人類想要見到古人或古世界的關係。然而，這樣的夢到底能否實現？

▼十九世紀，法國有名的Joule, Berneux寫了『海底二十六萬英哩』『月球旅行』『環遊世界八十天』等等的作品，而被封為科幻小說之父。他作品中所出現的各種機械及裝置，刺激了很多發明家的夢，進而使他們陸續的實現他們的夢。潛水艇的發明也是從Berneux的作品中來命名的，稱為Nautulus號原子潛水艇。

這樣看來，時光機器的製造，似乎是不可能的，Berneux所想像火箭炮及潛水艇的東西很符合原理，所

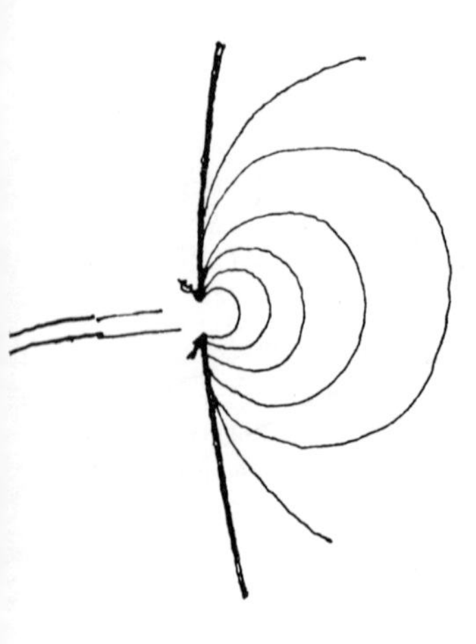

以只要技術進步，是會成功的。但時光機器，不管技術如何進步，決不可能製造。因為在原理上根本不可能。

▼這是為什麼？為了要看昔日的世界，必須要趕上帶走那時代的情報的光，同時以我們的眼睛看到那個光。但是光速的牆壁又高又厚。因為靜止時，具有重量的物體可以接近無限光的速度，而無法以超光速運動。如果這樣的話，先發射接近光速的火箭炮，然後再由這個火箭炮發射同樣速度的小火箭炮，就可以趕上光了。但這也是不可能的，愛因斯坦已說過，決不可能有比光的速更快的無限速度的物體。所以，人類的夢也由於愛因斯坦的相對論而消失了。

▼但是，最近已經產生了甚至在一個小世界中，就可以製造比光更快的粒子的理論出來。這是由懷恩巴格所發明的一種粒子。根據這個理論，也許時光機器可以製造出來。

無限的速度

49

在我們身邊，有很多怎麼除也除不盡的數字。那是什麼數字？

▼你們是否知道，在我們天天所看到的現象當中，隱藏著各種數字？從這裡面找出叫做無理數的數字，來看看在我們的身邊陌生形狀的真面目。

▼首先，準備宣紙或畫紙。在紙的形狀中，也隱藏著無理數。將紙的短邊與短邊對摺。然後再同樣的對摺一次，……。這樣就會形成愈來愈小的長方形。在這長方形當中，任意以其中的一個與原來的長方形比較，可以發現大小雖不同，但形狀一樣。我們現在來證實這種感覺。

先剪出其中的一個長方形，照相之後，將相片放在放大機下，把所照射出的長方形的影子與本來的紙形比較，在適當的倍率時，它會與原來的紙相符。

▼那麼，使用具有這種性質的一定大小全開的紙，對摺之後再對摺，剪成筆記本或書，不但大小一樣，而

且不會浪費。有這種想法的是德國化學家Ostwald。他的提案立刻被採用，終於產生現在紙、書、筆記本的形狀。例如，八開、十六開的數字表示對摺的次數。對摺八次是八開，對摺十六次就是十六開。

▼再看看具有這麼方便性質的長方形，可以發現很有趣的事。那就是長方形的長與寬的比，等於正方形的一邊及共對角線的比。以數字來表示是1／$\sqrt{2}$。在這裡所出現的$\sqrt{2}$的數字是一個問題。

將這數字相乘等於2，但它本身是一・四一二一……連續下去，且是不能改為分數的小數。具有這種性質的數字，我們稱為無理數。

這只不過是隱藏在你身邊的無理數的例子而已。相同的圓周率也是其中的一個。

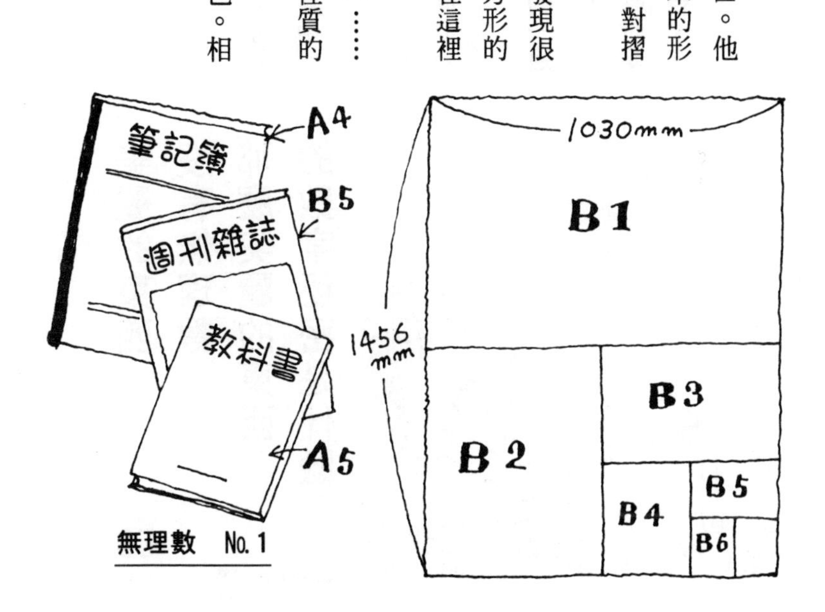

無理數　No. 1

50

美麗的東西沒有無理數。那麼美麗的東西的數字秘密是什麼？

▼講到無理數，討厭數學的人就以為是數學的一種。其實不只是在數學的領域，在美的領域也是具有很重要的功能。

你聽說過黃金比或黃金分割吧？例如，由規定的周圍長度來畫長方形時，由於長度與寬度的比例是自由的，所以你可以畫出無限的長方形。但是，其中形狀最美麗的只有一種而已。而這一種長方形叫黃金長方形，長與寬的比叫黃金比。一條線以黃金比來分割時叫黃金分割。這是種最美的分割法。

▼那麼，黃金比具體的說就是等於正五角形的一邊和其對角線的長度比。與前述的$\sqrt{2}$長方形的關係相似。那麼，這個比如下圖所述。將這裡所出現的$\sqrt{5}$相乘時變成5，而本身是二・二三六……永遠連續的無理數。在這美的世界裡，也有這種數字隱藏著。

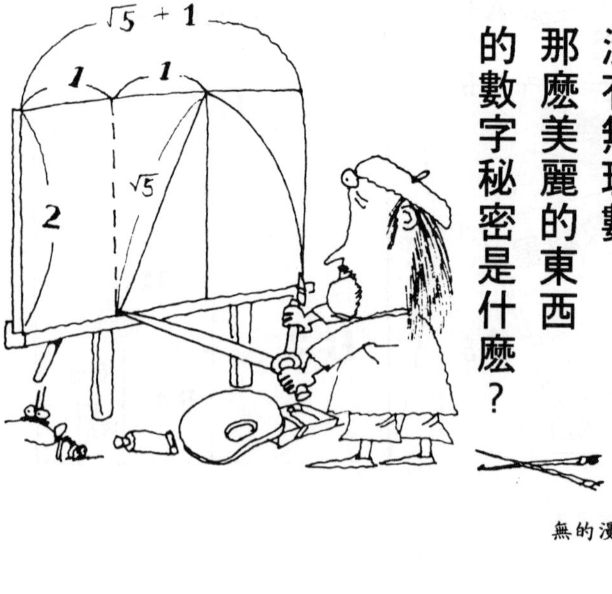

▼這個想法，據說是根據古代畢達哥拉斯的畢氏哲學一派研究所產生出來的。他們認為這正五角形的一邊和其對角線的關係，是這學派所值得誇耀的發現，所以總佩帶著星形的徽章。

▼黃金比真的是美的基準嗎？根據過去被認為是美的作品，達文西的繪畫及『米羅的維納斯』Parthenon的神殿等等的研究，很多都是依據黃金比而成立。不只是這些古代作品，例如seurat的畫及Mondriaan的『構圖』等等最近的作品，也都是使用黃金分割的技法。

▼這些作品的作者，是否下意識的在使用黃金比？對古代的人來說可說有，也可說沒有……真相是不明的。反正黃金比是美的西歐化的一種尺度。有人說歐洲人的身體是以臍的位置作黃金分割，那麼腳短身長的日本人，無理數在那裡？這也是一個有趣的問題。

無理數　No. 2

51

數目即使無限的增加，其唸法也是有限的。

▼萬、億、兆等的單位中稱為無量大數的，你知道嗎？無量大數是中國古時傳下來的數目單位中最大的。無量大數到底有多少？即是一兆的一兆倍的一兆倍的一兆倍的一兆倍的一兆倍的一億倍就是一無量大數。也就是，一的後面有六十八個〇的數字。念做十的六十八次方。

▼像這麼大的數目在我們的現實生活中，可能不會出現。任何一個國家，通貨膨脹的預算，頂多在兆的單位內。那麼，為什麼會想出這麼大的數目？

這可能來自古印度的哲學。其規模之大，連希臘及羅馬的神話也比不上。這個數目被佛教所接受，這是因為為了表現佛心及業障的規模，所以才想出這個數目。

▼最好的例子是孫悟空的故事。他騰雲駕霧，以全速在天空遨遊，本來以為已經到地的邊緣，可是抬頭一瞧，又另有一個像柱子般的樹立在前面，這即是佛的手

指。也就是說，雖然他做了很大的努力，但仍然逃不出如來佛的掌心。

▼我們同樣可以用時間作比喻。例如，在一塊很大的石頭上，掉落了小小的水滴，而使石頭侵蝕成一個洞需要多少時間？或在一個很大的石頭舞台上，由於一年一次天女下凡，以她的衣服下襬磨擦石頭，使石頭磨損需要多久的時間？像這種不知多久的時間單位叫做劫。

▼最後，將無量大數的數目與具體的例子作比較。首先，來看看天體的重量。太陽的重量大約二×（十的三十三次方）公克，銀河系全體約十的四十四次方。不遜於太陽，具有更大重量的是宇宙的重量，約十的五十四～五十五次方公克。這也是〇•〇〇〇〇〇〇〇〇〇〇〇一無量大數公克。由此，我們也就可以了解無量大數是如何的大。也就是兆之上每一萬倍，才會變成京、垓、秭、穰、溝、澗、正、載、極、恆河沙、阿僧祇、那由他、不可思議，這樣的無量大數。

無量大數

52 製造「什麼都沒有」狀態的歷史故事。

▼真空就是什麼都沒有的狀態，也就是空空的狀態。在這世界上，真的有這種狀態存在嗎？最近常有人將食物裝在真空的塑膠袋而出售。這樣的包裝就叫真空包裝。現在在家裡日常使用的吸塵器，以前便叫真空吸塵器。

像這些，以「真空」作為開頭來命名的東西有很多。所以「真空」應該是存在的。

▼真空，就是「空虛」的形態。一部分古代的希臘人有這樣的想法。Democritos的原子論者，認為世界都是由原子的粒子所構成的。但是若原子盈滿的話就不能動。這樣就無法說明物體的運動。因此，必須製造容地使原子能活動。所以「空虛」或「非有」的想法因此而產生。

▼但是，歐洲在十七世紀初期，還認為沒有真空的

存在。雖然奇怪，但是他們也有他們的理由。這是因為在Democritos之後，同樣是一個在希臘很活躍的哲學家亞里斯多德，以他獨特的論法來說明真空是不存在的。這種論法，我們很難了解，簡單的說，他以為宇宙就是以地球為中心而具有明顯的次序。如果有空虛世界的存在，就無法區別方向，因此由上而下的運動就不存在。這樣是很不方便的，所以空虛不存在。

▼但是十七世紀的工人，由經驗而發現水井挖了十公尺以上的話，就無法以幫浦吸上來。他們由此得到啟示，因此，伽利略的孫弟子托里拆利（Torricell）在一六四四年，以水銀取代水作實驗，證明真空是存在的。只是為了證明真空的狀態，而人類居然要經過這麼一段辛苦的歷程。

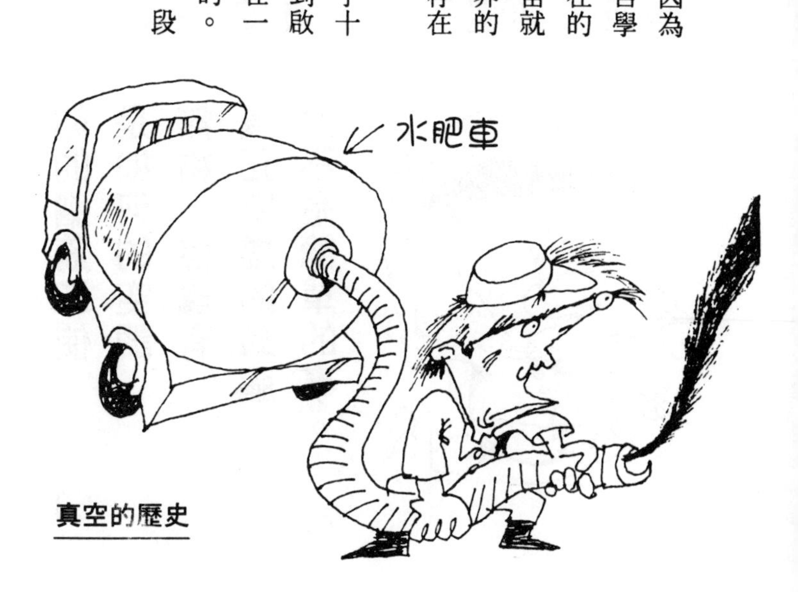

真空的歷史

▼真正的真空，在這世界上是不存在的。然而，Torricell的實驗已把真空的存在證明出來了，又怎麼說沒有呢？這也難怪你會這麼想。現在重新對真空作一檢討。

▼事實上，我們平常所說的「真空」，就是指比氣壓的壓力更小的氣體。也就是說與大氣比較起來，它較接近真空，因此使用空這一句話。接近的程度便叫「真空度」。真空度又由其程度而分為低真空、高真空、超高真空等等。

▼自然界中，真空度最高的是大家所知道的宇宙空間。可是在體積十公升的物品裡，可能有一個陽子存在。例如，大氣十公升中的分子數，是一兆個的百億倍。如此比較起來，宇宙空間可說是超超超……的超高真空世界。雖然如此，宇宙空間還不能說是真正的真空狀態

53

你的腦筋即使是如何的空調無物，但擁有真正空虛的頭腦並不是簡單的事。

。那麼人所有的是什麼程度的真空度呢?

▼要達成高真空有各種方法。如果用離子幫浦法的話，可以把一公升的分子數減少到十兆個的程度，與宇宙空間比較的話，還超過千億倍。

▼那麼，人是如何的利用真空?這問題立刻令人想到真空管和熱水瓶。但並不只是在我們身邊隨時可看到的這些。在科學及技術的領域裡，也被要求必須要有高度的真空。另外，在沒有空氣的狀態下；要檢查化學反應時，也需要使用真空技術。

▼最後來介紹一個規模很大的真空裝置。那稱為粒子加速器，是將作為原子材料的小粒子的速度加到光速的十分之一的裝置。這種裝置如果在其中有粒子的話，就會與粒子相撞而無法加速，所以必須將粒子的通路作成豆餅的環狀，且裡面必須是超真空。環的直徑要有一公里，所以這是大規模的作業。

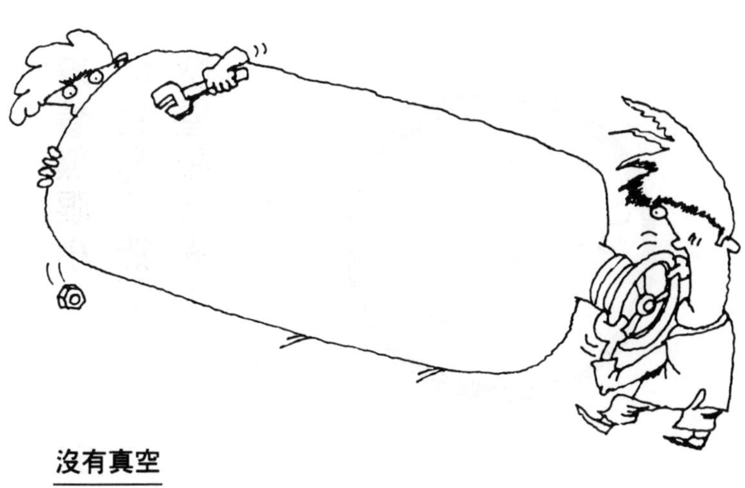

沒有真空

▼人的眼睛能分辨小物體的能力，至多是十分之一釐米到二十分之一毫米的程度而已。那麼，以顯微鏡來看，界限如何呢？現在來看一看。

▼顯微鏡在什麼時候、什麼地方發明的？與對望遠鏡一樣不清楚。但眼鏡出現在十三世紀。顯微鏡據說是在一五九〇年由荷蘭人所發明的。凸鏡片一片也可當作顯微鏡使用。事實上，十七世紀荷蘭的Leeuwcnkoek所使用的顯微鏡，凸鏡只有一片。而鏡片如同針頭那麼小，但也具有一百五十倍的放大能力，他就以這種顯微鏡發現了很多微生物。當時普遍使用的顯微鏡是以與現在同樣形狀的數片鏡片組合起來的，其解像力不遜於Leeuwcnkoek那麼單純的顯微鏡。英國人發現軟木的細胞也是利用這個不太完全的顯微鏡工具。

▼到了十九世紀後半，才製造了與現在所用的性能

54 看看無限小的世界的無限慾望和研究。

差不多的光學顯微鏡。這是由當時剛剛誕生出來的細菌學所期待而實現的，從此以後，對生物學及礦物學的發展有很大的貢獻。但這種新型的顯微鏡，它的分解能最大限度也只不過能看到四千分之一毫米的顯微程度。這是由光的性質所產生的界限，所以要作出性能更高的顯微鏡是很困難。

▼後來出現了利用電子來代替光的電子顯微鏡。它從一九三七年被發明以來一再經過改良，現在已具有超過一百萬倍高的分解能。因此，現在能淸楚看到原子的輪廓及濾過性病毒的形狀了。

▼但是，電子顯微鏡有無法看生的試料及無法看淸試料內部的缺點。所以，現在正在發明中的X線顯微鏡，與電子顯微鏡比較起來，分解能雖差一點，但如成功的話，可以看淸楚生的試料及其內部。要發展到什麼程度我們很難預料，但可知道正在向無限小的世界邁進。

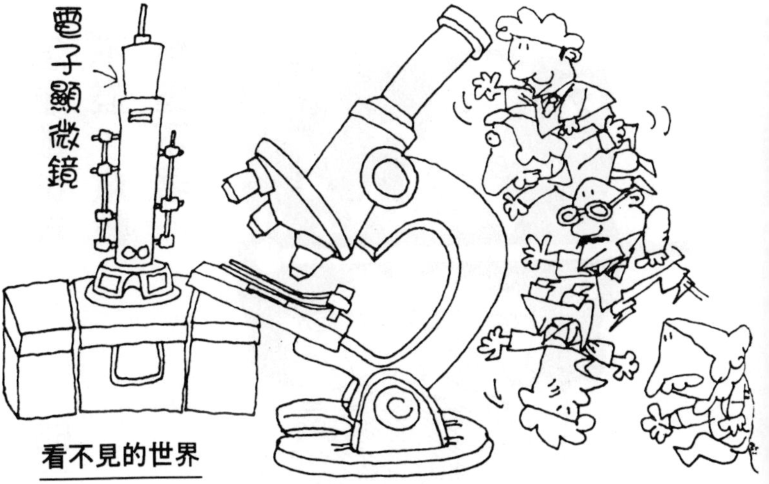

55

怎麼數也數不盡，愈數愈睡不著。

▼當我們無限制的想像任何東西時，所想像的東西的真面目都無法定型。因為想像這種模糊、真相不明的東西，所以會睡不著。其實，並不能一概而論。

▼現在讓我們一面說明紀元前五世紀時，季諾（Zenon）的數學家提出的『季諾的逆理』，一面看看無限的核心。這牽涉到時間及空間的「無限和連續」的所謂數學的本質。我們大家一起來想一想吧。

▼首先，「運動是不存在」的理論是因某直線上的兩點間，無法在規定的時間內移動。

為什麼會產生這樣的結論。那是因為從A點到B點的物體，必須經過其中間點的M_0。然後這個物體再經過M_0與B的中間點M_1，M_1與B的中間點M_2……。像這樣一半一半的經過時，會產生「這個物體在規定的時間內，必須經過無限多的點，所以不可能有這樣的運動」這樣

的結論。你們認為如何?

▼如果按照同樣論法來說的話，「飛毛腿的阿基里斯（希臘神話中的勇士），就無法超越前面走的烏龜」。這個理由是當阿基里斯抵達烏龜所出發的地點時，這烏龜已向前前進。當阿基里斯抵達先前烏龜到過的地方時，烏龜仍還是向前前進，這樣繼續無限的重複，阿基里斯永遠無法趕上烏龜。

▼還有「射出的箭是靜止的」這一句話。因為箭雖然飛著，但在某瞬間，以無限短的時間來看的話，是在一定的位置。因此，箭是無法飛行的。

▼實際上，如果運動存在的話，不但可以趕上烏龜，也可以越過它，而，箭也可以向遠方發射。這理論與現實的情況不同，你將如何說明呢?所以你才睡不著。

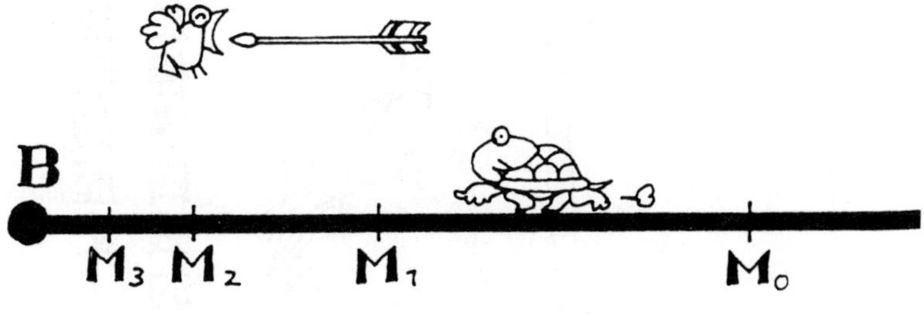

B

M_3 M_2 M_1 M_0

季諾的逆理

▼人類的歷史已有數百萬年了，以後還會無限的連續下去。這無限長的歷史，如要以一張張的紙記載，到底需要多少張？可能是無限張吧。讓我現在來告訴你，將這無限的歷史，僅僅以四張的紙記錄下來的方法。

▼首先，將最近五百年寫在兩張紙上。畫好格子詳細的寫。然後再將前五百年寫在一張紙上，而再將其前五百年前以第四張的一半來寫，再將更前的五百年前以另一半來寫，之後再將其五百年前以其餘的一半來寫……。這樣的話，無限歷史的年表僅僅以四張紙，就可以完全的記錄下來了。

▼歷史年表愈古的部分空白愈多，要記錄的項目就愈少，因此而產生如此的方法。像人類誕生的部分，只要第四張紙的一小篇幅就可以了。讀到這裡，聰明的你，就可以發覺到這就是季諾的逆理應用吧。也就是阿基里斯無法追趕烏龜的道理。

將無限的歷史，訂於僅僅四張的紙。

56

▼像這樣無限的歷史，只要稍動腦筋，就可以記錄在有限的空間內。將無限的世界寫成很有趣的一本書的是，日本的小野勝次所寫的『無限的故事』，我願意將它介紹給對數學有興趣的你。作者是從一筆寫的研究開始，來研究這無限的研究的唯一者。

▼小野勝次到底是如何去接近這無限的東西呢？這曾有一段插曲。小時候，有一青年告訴小野說，有一萬以上的數目，即一萬、十萬、千萬、一億、十億……千兆。於是他問千兆之下是什麼？青年回答說千兆之下就沒有了。小野覺得很奇怪。當然，這時他還不懂無限這句話，總是以為不管多大的數目，一定有下面的數目。

▼又，當你想到除不盡的小數的計算無開始也無結束的時間，及無限擴大的宇宙時，在腦海裡，就會慢慢形成一個「無限」的概念。你也可以一面想：即使怎麼短的時間內，也有無限的時間流過，而一面來看無限的歷史。

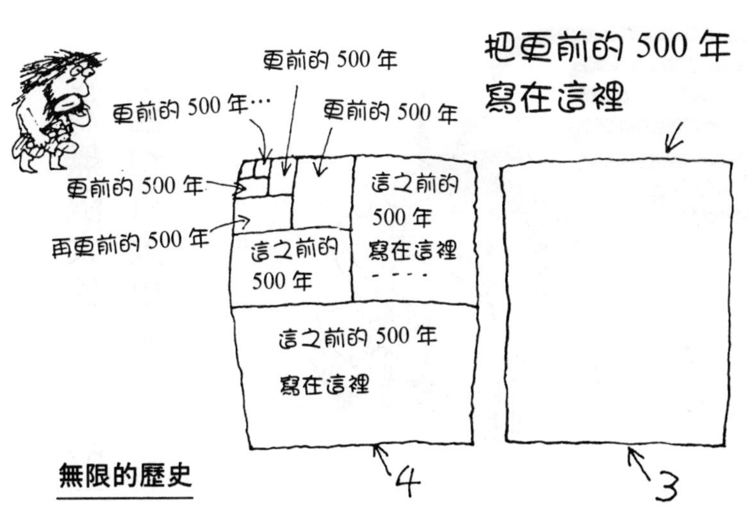

57 認為無限大的東西也有大小。

▼如果說「部分等於全部」的話，你一定不相信。這也是當然的。依常理看，部分決不等於全部。十九世紀前的偉大數學家也是這麼想。

但是，無限數下去，「部分等於全部」是存在的。的確，在有限的世界中，部分一定比全部小。但要數這無限的現代數學的領域裡，隱藏著你們所無法相信神秘的世界。以前有一位解明這無限的神秘，而在驚異之餘受到周圍人的反對，終於進入精神醫院的數學家。這位學者就是集合論的創始者Cantor。他研究無限，而發現了令人難以相信的事。

▼下面簡單的來介紹Cantor的想法。

你也知道數是無限的。不論多大的數目，一定有比它多一的數目存在。如此，數目無限的連續下去。現在來看一看無限連續的全部自然數及其一部分的偶數。自

然數和偶數是1↓2、2↓4、3↓6、4↓8……永遠是一對一的對應而成立的，且個數相等。這是因為自然數全部的個數等於其一半的偶數的個數。換句話說，在無限的世界裡，如一加一等於一，一加一等於一的複雜的如在夢中般的計算是能成立的。且這裡所說的自然數全部的個數，在無限內是屬於最小的個數。你能了解嗎。

▼在這無限的數當中，也有小無限和大無限，有時說起來好像很矛盾，可是必須像Cantor一樣，將各種的數當作一組來想，只有這種集合的想法，才能令人了解。發現這方法的Cantor本身由於自己的發現太脫離常識，所以在發現十年後，才發表出來。但未及得到當時學者的了解就去世了。所以，你很難於了解也是當然的。

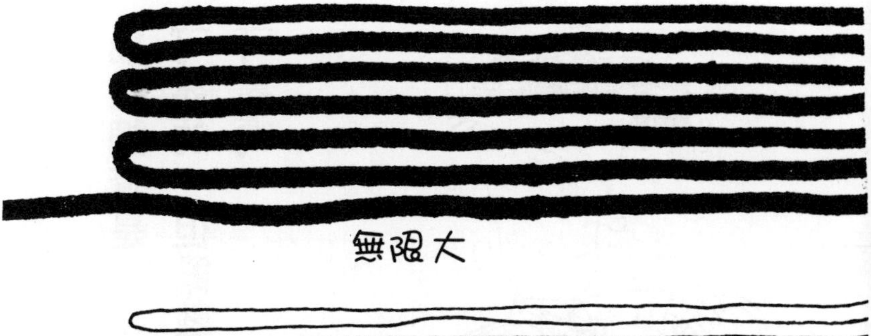

無限大

無限小

無限的世界

58

抽樣調查是可靠的，但亂數表可靠嗎？

▼每年到了除夕，電視台就會播出綜藝節目，各自爭取收視率。表示全國大概有百分之八十以上的家庭收看這個節目。知識豐富的你，可能屬於百分之十幾這一部分。收視率到底如何調查呢？並不是全國每戶挨家調查的。

▼這樣的調查是採用抽樣調查。從有電視機的家庭中，不參與任何人的意見而隨意選出樣本家庭，安置監視用的機器，收取資料，調查這一家收看那一個頻道。當然調查的對象愈多，愈能了解正確的收視率，對樣本對象愈任意挑選，愈能得到更接近正確的資料。

▼抽樣調查法，在美國開始本是用來檢查真空管的不良頻率。英語稱為random sampliny，是種由很多的製品當中，不規則的任意抽出樣品來檢查的方法。普通的抽樣檢查中，參與檢查的人難免會有各人的習慣，

尤其是對新來的員工所組成的製品，特別嚴格的檢查，因此，就不是任意隨便了，這樣一來，往往與整個製品的平均不良率差得很遠。所以必須對檢查的對象加以編號，由骰子或亂數表抽出，而加以檢查。

▼亂數表是間諜用於解讀的暗號。一九二七年由西藏人製造出來的，以前是使用賭盤及打出亂數來的機器所做的。現在使用的是用新發現的素粒子的飛跡，以電子計算機來分析而做出來的亂數表。

▼但是，由這樣辛苦製造出的亂數表，所抽出的樣本是真正任意不規則的嗎？這個素粒子並不是毫無脈絡的飛出，一定有什麼法則，所以真正的抽樣調查，其實也是不可靠的。

抽樣調查

59

對於雜亂，不要太介意。

▼自然界並不一定什麼都是規律整齊的。如果說一個人瘋瘋癲癲，決不是好意。像這樣沒有秩序而亂七八糟的狀態是無秩序、不好的代名詞。但仔細觀察大自然時，許多沒有秩序的，反而具有很重要的意義。而由於秩序太好，反而弄糟的也有。

▼老鼠的大群集團往一個方向移動的行動，是很有秩序的，走到懸崖邊也不停而一隻隻掉落下去，看起來似乎是集體自殺。但對它們來說卻是保存它們的種……。

▼如果這是人的話，就更嚴重了。在人的社會，保持最高秩序的是軍隊，如果他們就這樣奉命上戰場作戰，的確是很悲慘的事。第二次世界大戰的納粹德軍及日本軍閥即是這種典型。但日本軍閥是採取與這不符合的秩序，而獲全國國民支援的軍隊行動。

我們本是個性派
「無秩序的人」

▼大自然最不喜歡不穩定的狀態。如果從有秩序與無秩序來說，有秩序是不穩定的。例如：如果空氣的分子集中於某一部分，保持秩序很高的狀態，便只有那一部分的人能呼吸。空氣在地面上到處都有，因為處於可以自由活動的無秩序狀態中，所以人人才能在地球上生活。

▼宇宙形成之前的「混沌世界」就是無秩序的狀態。關於宇宙是如何形成的，問題，雖有各種不同的說法。但至少對一個個星星的誕生來說這句話是正確的。換句話說，無秩序飄流著的星間物質，逐漸集中於一個地方，而收縮成星星。

▼無秩序的狀態，還有很多有趣的事，你們也可以偶爾脫離學校的考試，自由自在的生活、思考。

軍人

像裝置發條的秩序人

無秩序

60——人，要像鳥一樣在天空飛行是很困難的。可是即使沒有動力，也可以無聲的飛行。

▼什麼叫無動力飛機，你知道嗎？因為它是沒有動力的飛機，你也許會以為是人力飛機或橡膠飛機。可是人力也是動力，所以不能說是無動力。無動力飛機就是滑翔機。滑翔機無引擎也無螺旋槳，只靠上升的氣流而飛行。性能比較好的可以從三百公尺的高處滑空，飛行十二公里著陸。這個無動力飛機，即是滑翔機的秘密在那裡？

▼大約在五百年前，義大利天才Leonardo davinci設計了一架滑翔機，他研究鳥在天空飛行的事，而了解飛行的原理，因此留下了機翼活動的飛機設計圖。但是，人在天空飛行已是二百年以後的事了。

▼一九○三年十二月，萊特（Leonardo）兄弟以他們設計的飛機，成功的在天空上飛了二百六十公尺，費時五十九秒。在這以前，據說他們在一個月間，作了

西文達

一千次以上的滑翔機飛行練習。但是比他們早數年前的Olto Lilientha，使用滑翔機飛行了三百公尺。他可能也正在做裝引擎飛機的實驗，只可惜在成功之前就墮機而死了。這樣看來滑翔機比裝引擎的飛機優秀。但在那一方面較優秀呢？

▼滑翔機如果被設計為能夠在空中飛行更久，且能滑空的話，首先，主翼必須更細長，以便得到充分的空氣浮力。另外，機體的各部分，設計成流線形，以減少空氣的阻力，並減輕重量。譬如有一稱為Soarer的高性能滑翔機，便可以在空中旋轉，作特技飛行。

▼滑翔機是不是全是無動力飛機？並不全然是。馬達滑翔機是裝有引擎的滑翔機，它們臨起飛時才以引擎的力量起飛。起飛之後以引擎滑空，可以說是半無動力飛機。

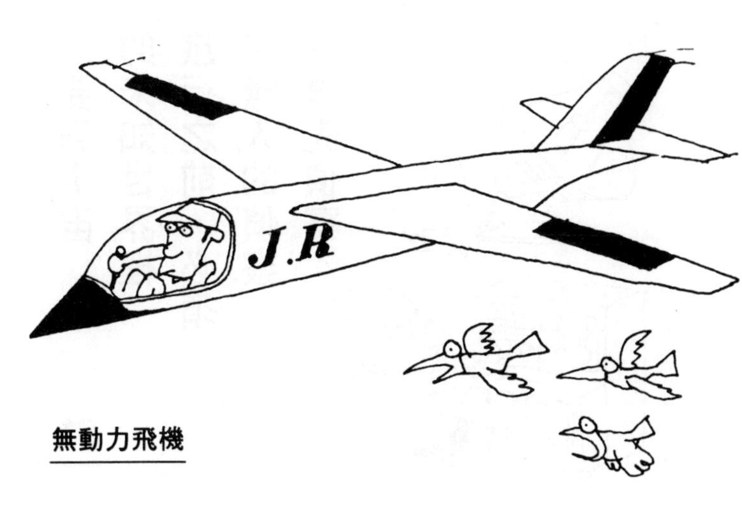

無動力飛機

61

人要到宇宙的未知世界裡旅行之前，必須以無人的偵察機事先偵察。

▼現代是宇宙開發的時代。人坐在太空船上觀測太空，因此對宇宙的事知道不少。不久之後，一般人也可以坐在太空船上作太空旅行。而使人能到太空旅行的無名英雄，就是無人偵察機。

▼在地球周圍，有一層從太陽發射出來的強烈放射線的厚厚大氣層，這個對人很重要的大氣層，阻礙了人類從地球上觀測太空。太空發生什麼事，地球上的人不容易知道。所以到充滿危險的大氣圈外偵察的便仰賴無人的偵察機。

▼美國一九五八年的第一枚人造衛星探險家一號，發現了在大氣的電離圈外側，有一圈對人有危險的放射能帶。這放射能帶叫Uan Allen belt。探險家一號測量出了當人們要到太空旅行時的發射時的加速度及隕石群的危險性。又使用各種無人偵察機，偵察出太空船回來時，進入大氣圈所發生的高熱物體的衝擊。

▼初期的無人偵察機，可以說是為了人的太空旅行

，而扮演了實驗品的角色。但最近被認為是第二世的無人偵察機的時代。這個偵察機本身也比以前更大更精巧，其目標也可以偵察離開好幾千億公里的星星。

要偵察遙遠的星星，是必須要有相當精密的計算和技術的。例如修正無人偵察機的軌道來說，由地上的電腦控制，且接受地球上電腦命令的收信機，只能裝在一個小小的收信器。而且電波是與距離的二乘成反比的減弱，所以修正軌道是相當困難的事。一九七四年，首次在金星的附近攝影成功的Mariner十號，是利用金星的引力來變更軌道而朝向水星，如果在金星的附近差了一公尺，那麼到了水星就差了一千公里。所以修正軌道是困難的。

▼無人偵察機如遇到通信迴路故障就完了。如一九七三年，蘇俄的火星偵察機在十一個月，七億公里以上的太空旅行回來之後，通信迴路故障而形成一種糟糕的情形。

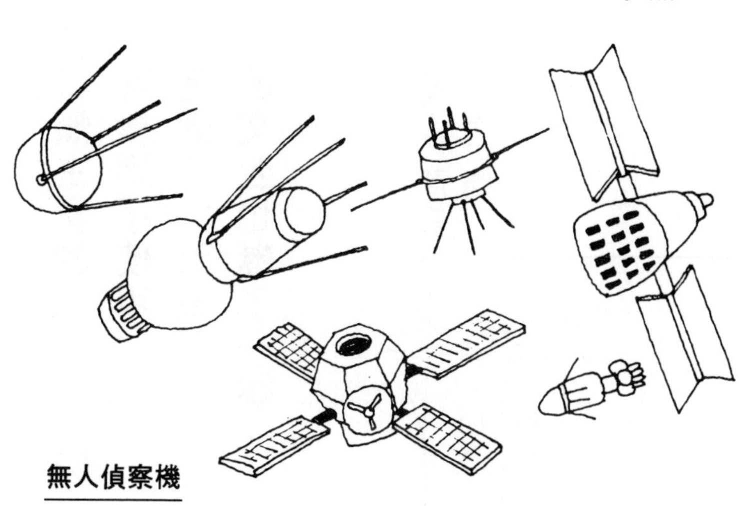

無人偵察機

62

從無主翼的飛機到不使用跑道的「天馬」，達文西也嚇了一跳。

▼該有的沒有……這樣的話，有時會引起很大的騷動，如果以飛機的零件來說，會怎麼樣？離開地上二萬公尺的巨無霸噴射機，沒有主翼的話，五百名的乘客發覺後會怎麼樣？當然無主翼的巨無霸噴射機是沒有的，所以這件事不會發生。但是如無主翼也能在天空飛行的話，會如何呢？

▼沒有尾翼的飛機——無尾翼機是有的，可是沒有無主翼機。沒有主翼的飛機叫回轉翼機，也就是直升機。會想到沒有主翼飛機的人，實在不簡單。世界上最早設計直升機的人是文藝復興時代的大天才——達文西。普通的固定翼機，是由主翼所收到的空氣的浮力而浮在空中，由螺旋噴射的推進力前進。但這直升機是由回轉翼的回轉而得到揚力，使它稍向前傾斜而前進。那麼直升機有沒有螺旋槳？答案是沒有的。回轉翼並不叫螺旋

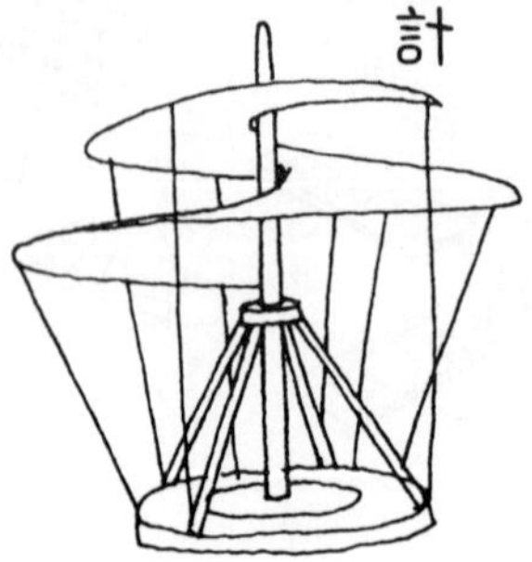

達文西所設計的直升機

槳，而叫回轉翼。

▼直升機之外，還有無螺旋槳的飛機，你知道嗎？就是噴射機與火箭機。這些飛機是由空氣和燃料混合燃燒，噴出瓦斯氣體，然後利用這噴出的反彈力前進。噴射機利用由外面吸入的空氣來燃燒原料，所以不能與火箭機相同在大氣圈外飛行。

▼不用跑道的飛機，你知道嗎？如果你以為這是直升機的話，那就錯了。這是ＶＴＯＬ—垂直離著陸機。是種噴射戰鬥機，即是只將噴出排氣的方向改變，就能像直升機一樣垂直的離著陸的一種噴射機。現在在英國已被實用化。這飛機使用英國Rolls Royee公司出品的天馬的一種特別的引擎。意思是說具有翅膀像天馬般在天空自由的飛翔。這在美國的海軍，也當作ＡＶ—８Ａ在使用。

好像缺少什麽的飛機

63

真正不會產生公害的車子，什麼時候才能造成？

▼我相信當你在準備考試時，一定會為外面的車子所發出的噪音生氣。白天雖然不太會注意到汽車的聲音，但晚上夜深人靜時，是很惹人討厭的，夏天的大都市裡，光化學的煙霧，是因汽車的排氣所造成的。而交通事故、噪音公害、排氣公害，及使都市環境惡劣的凶手便是汽車，到底人類有沒有辦法使它成為無公害的安全汽車？

▼在汽車公害中最討厭的是排氣。排氣中含有多量的一氧化碳、碳化氫、氮氧化物等等的百害成份。又在汽油中有鉛的成分。這鉛是會提高辛烷架，預防爆震的一種制爆劑，因為鉛不會燃燒不能留下灰燼，所以全部變成粉末在空中飛揚，這是很可怕的。所以，最近已在使用不含鉛的無鉛汽油，但，還不能說汽車的排氣完全無害。

▼為了使汽車不產生公害，第一步驟是使排氣中的有害成分儘量減低，在美國、日本都採取遮離法。因此，汽車的廠商就拼命的改造低公害的引擎。改善汽缸內的汽油燃燒效率，或裝置後燃器，使再度燃燒排氣，以減少有害成分。我們可以看到汽車牌子有CVCC或NASP等名稱。證明這車子使用的是低公害引擎而不是無公害引擎。正在研究的燃氣輪機引擎及蒸氣引擎，同樣必須燃燒燃料，所以不能說是無公害。

▼那麼，沒有希望發明無公害的車子嗎？最有希望的應是電動車，可是這也是需要用石油來燃燒發電，才能行駛，雖然無排氣，但結果還是一樣。如果發明用小型、輕型的用途強力的太陽電池，經過太陽照射就能行駛的電動車的話，就是完全無公害車。可是目前仍只停留在玩具汽車的階段。

無公害車

64 有聲音，看不到影子，這會是妖怪？

▼電影是從無聲到有聲。你知道什麼叫無聲電影嗎？就是沒有聲音的電影，也就是完全不發聲而具有影像的電影。就好像把電視機的聲音關掉，只看畫面一樣。有些電影如果沒有音樂或會話，就無觀賞的效果了。

▼現在一般的電影有音樂、會話，這是常識，但在五十年前的電影是無聲的，稱為無聲電影。會動的畫面＝電影，開始有聲音是在一八九五年，到現在才一百多年而已。法國的盧彌耶魯（Lumiere）兄弟發明了攝影機的放映機，電影才產生並且普遍化。當時在巴黎的街上，看電影的人如長龍般，所以電影賺了不少錢。但當時的電影當然是無聲黑白的。

▼隨著電影的流行，電影的製作者經過一再的研究而創造了很多影像藝術。例如，特寫鏡頭、長景近景的編輯手法，早在還是無聲電影時代時就已確立了。有名

的喜劇演員卓別林等，在無聲電影的時代，就已是評價很高的名演員了。

▼在中國無聲電影的時候，一面演奏音樂，一面由辯士（說明電影的內容人）來說明內容，將電影說得很有趣。在這全盛時期，辯士好壞的選擇代動了電影內容的選擇。這種無聲電影的時代，一直連續到了一九二〇年代。

▼第一部有聲電影『爵士的歌手』，在一九二七年，首次在世界公開。以前一直是三流的華納兄弟的電影公司，因此變成大公司。這種有聲電影，十九世紀以來，發明王愛迪生已著手研究，但由於聲音的再生處理得不好，所以並沒有實用化。後來，才成功地以光學的磁性的方法，將聲音錄於膠片而再生出來，因此，無聲電影轉變為有聲電影了。

無聲電影

65

在沒有道路的沙漠及泥沼上，笨重的戰車為什麼能前進？

▼知道「無限軌道」的人可能很少。這無限軌道，可能存在嗎？如果有環繞地球的超大陸橫貫鐵路，一切就另當別論。如果有想到太空旅行，就夢想在銀河系加設鐵路的人，是你漫畫看太多了。

這種無限軌道，就是裝置在牽引車及戰車上的。是帶狀的鋼鐵板，有很多的小車輪。叫做履帶的鋼鐵製的輪，一直旋轉直到磨損為止，是無限的連續軌道。

▼無限軌道，在一八九〇年才第一次在美國大型的牽引機上使用。在這以前，以車輪旋轉的牽引機，在很柔軟的地上，或者是較潮濕的地上，會下陷而不能動彈，即使能動，也無法發出強大的力量，所以在大規模土木工程上無法使用。而改良這缺點的便是無限軌道。

▼但是「無限軌道」受注意，是在第一次世界大戰所使用的戰車。以這種無限軌道行駛的戰車，是用厚厚

的鐵板所做成的，雖然很笨重，但即使在不好的路上也照樣前進，因此，能得到了很好的戰果。

▼那麼，無限軌道在車子所無法行駛的路上，為什麼能發揮威力？這是因為比輪胎接地面積來得大的關係。因為地面上的壓力比較小，雖然，戰車笨重，但每單位面積的接地壓與人差不多，所以才能在柔軟的沙地或沼地走。同時，由於接地面積大的關係，摩擦阻力大，所以不容易滑走。因此，在超過三十度的坡地也能爬行，且推笨重物體的力量也很大。

▼無限軌道雖然有這麼多的優點，但也有缺點。即是速度緩慢。本來戰車的時速只有六公里，經過一再的改良後，現在已可達到七十五公里，但與一般車子比起來，還是很慢。

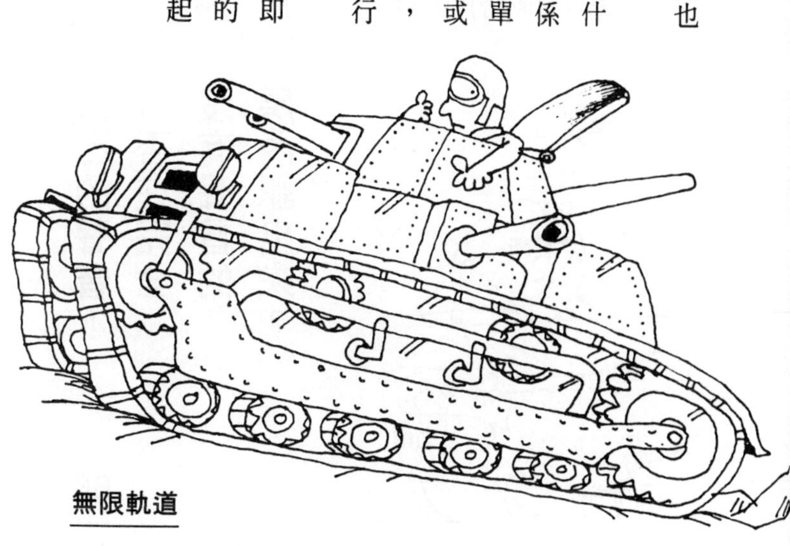

無限軌道

66

自己的聲音！可否在完全沒有聲音的房內認出來？

▼在戶外的音量與在房內說話的音量相同，對別人來說是聽不見的。這是當然的道理，但為什麼？在室內說話的聲音，完全由牆壁、天花板、地板反射出來，對直接由口裡發出的聲音有利。但在戶外的話，聲音不會反射，所以，室外必須比室內的聲音還大。

▼但是，你知道無音室嗎？就是完全沒有聲音反射的房間，所以在這裡說話，就像在戶外說話一樣，必須很大的聲音。但不像在戶外說話那麼輕鬆，所以在無音室內說話情緒不好。因為這與我們平常生活的空間不同，是一個人造空間。在戶外的話，風吹的聲音會通過耳朵，因此，會聽到附近的聲音，有時也可以聽到小鳥的啼叫聲。在無音室的話，自己的聲音被周圍的牆壁吸收，聽起來好像不是自己的聲音。

▼那麼，為什麼要有這種使人情緒變化的無音室呢？這是為了研究噪音、聲音，及檢查機器音響的特性才創造出來的。這是一個外界聲音完全無法進入的房間，

例如，從擴音機所發出的聲音，不會在牆壁、天花板反射，而可以直接測量這聲音。換句話說，這是一個研究用的特殊房間。

▼這無音室是怎麽樣的構造呢？最外側是十五～二十公分厚的水泥牆壁及堅固笨重的門將外界的聲音隔絕。裡面有另一房間以彈簧吊起，在這房間的牆壁、天花板裝有隔音的材料。這個隔音材是一公尺高的楔形物，用玻璃纖維所做成的。隔音材被裝在牆壁、天花板、地板上。在這房間的中央地方放置格子或網子，將要測定的東西安置在格子或網子上就可以了。無音室的體積大小，大約是八公尺四方形，高約七公尺，如二、三樓般的高。

▼如果你是一個音響迷，你應該知道擴音機的周波數的特性。這是表示由低音到高音的聲音，如何發出。就是在無音室內所測定出來的，所以在你的房間，就無法按照這特性想出來。

無音室

67

追究有調子的音樂之後，產生了沒有調子的音樂。

▼在電視劇中的不安狀態，及危機的狀態中，以不安調子的音樂來提高效果，這叫無調音樂。

▼無調音樂，顧名思義就是沒有調子的音樂。你們普通常聽到的曲子是C長調、D長調，或者是C短調，都是有調的音樂，而在音樂術語上叫調性音樂。

▼歐洲十七世紀以來，所確定的調性音樂越來愈複雜，調的輪廓愈來愈模糊，因此而產生了無調音樂。產生時間約在一九〇六年~一九二〇年間，具有代表性的作曲家是奧地利的Schonberg，此外還有他的學生Berg。被稱為「維也納無調樂派」。其他的作曲家有Bcertck Hindemith等等。

▼為什麼會產生這種無調音樂呢?現在簡單說明一下。主要就是因調性音樂的一部分受到破壞。調性音樂是以ㄉㄛ、ㄖㄨㄟ、ㄇㄧ、ㄈㄚ、ㄙㄛ、ㄌㄚ、ㄒㄧ的

七音音階為基本，而這裡所使用的音是以ㄉㄛ、ㄌㄚ的中心音所組織而成的。同時從中心音來決定和音，連這個音的厚度也加以組織化。在莫札特、貝多芬等的古典時代，調性音樂的構造是朝向安定方向作曲，但隨著時代的變遷，半音使用愈來愈多，由於激烈的轉調，因此，到底是什麼調的曲子並不明顯。站在這種動向的尖端音樂就是華格納樂曲，曲名是「Tritan wnd Tsolde」，換句話說，它們是因本來是一個很堅固的音樂構造，由內部慢慢的被破壞轉變成的。

▼於是Berg開始想不按有意識的調性音樂作法，用另外的作曲法來作曲，在一個音程內，不反覆使用一個音程內的十二半音，也不使用本來的三度的和音，而使用二度或四度的和音，此外還研究新的構成原理。因此，他建立了這樣的一個沒有調性的音樂世界。

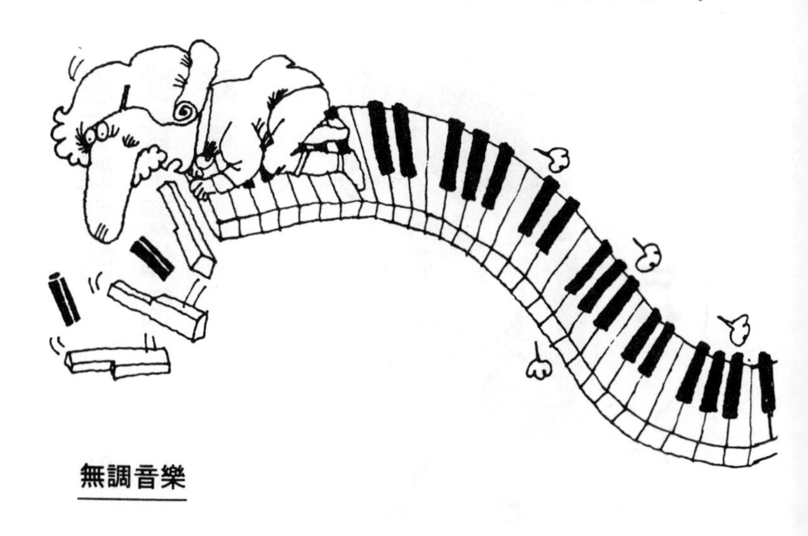

無調音樂

68 沒有雜音的聲音，要如何錄音？

▼錄音時，最重要的是不能有雜音。如何儘量減少雜音，使聲音清晰的再生出來，這就是音響的生命。現在來談談錄音的雜音的事。

▼錄音是愛迪生發明唱片時開始的。最早的唱片，是用蠟做成圓筒狀的蠟管，而使它迴轉，做成連續聲音的溝形。後來，不久才做成像現在這種圓盤形的唱片，可是當時並無麥克風，也沒有將聲音改變為電的信號來增幅的，所謂聲音電波增幅器的設備。所以當時錄音時，將頭伸進一個大型的喇叭形的管中，而發出很大的聲音才能錄音。這樣的方法下，聲音就變成音波傳到空中，產生直接振動管的先端的挖音波刀刃，因此產生音溝來。

採用這種方法再生出聲音時，聽起來會感覺到好像帶有很多雜音，也是難怪的。

▼真正雜音減少，是自從雜音的理論被確立，及電

子功學的技術發展之後的事了。能夠把原來的聲音忠實重現出來的高度錄音技術，大約在三十年前才產生。從此以後，才實現使用LP唱片來作音響錄音，聲音增幅器、麥克風等等的性能，漸有了進步。而減少雜音的無雜音錄音才急速的發展起來。

▼PCM（Pulse code modulation）音響利用阿波羅衛星從月球將聲音映像傳給地球的技術，是將聲音改為符號來錄音的，接近於理想，而離雜音極少的錄音方式普遍的日子也不遠了。

▼除非絕對溫度（加上攝氏二百七十三度的溫度）是0度（攝氏零下二百七十三度），否則雜音並不會改變。理論上如此，而事實上0度的溫度也是絕對不可能實現的。

因此，我們所能做到的是儘量減少雜音，使雜音的聲音比所須聲音還小的地步。

無雜音錄音

69 進化的東西尾巴會消失。飛吧！飛機進化論。

▼我曾看過這樣的廣告「進化的話，尾巴就會消失」，飛機是否也適合這句話？一個高速飛行的機體，所受到的空氣阻力相當大，所以只要將機體上的污垢拂拭掉就可以減少空氣阻力，同時一年間可以減少好幾十萬的燃料費，因此，如果不要尾翼，以減少空氣阻力，那是最好的了。但到底飛機的進化論能成功嗎？

▼要談論無尾翼機之前，我們先來談談飛機尾翼的作用。垂直尾翼具有改變左右方向的舵的作用。同時直進時也能保持左右安定，以預防搖擺。

水平尾翼裝有升降舵，是使機首上下時使用。同時可以預防機體上下顛簸，保持機體的水平。尾翼的最主要作用在於保持飛機重量的平衡。尾翼離主翼附近的重心愈遠，距離就如手臂，由這橫桿原理，很小的力量就可以保持平衡。那麼，最重要的尾翼功能你知道了吧。

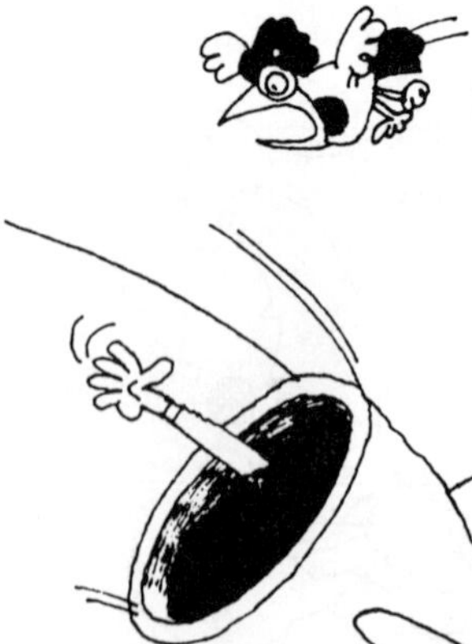

▼但是，從螺旋槳機到噴射機，隨著速度的增加，尾翼所受的空氣阻力也愈大。超過2M（高速飛行體的速度單位）的超音速客機Concorde MirageⅢ等，在三角形的主翼後端裝置有升降舵而無水平尾翼，以減少空氣阻力。這是因為速度愈快，舵的功能愈好，所以遠離重心的地方不必裝置升降舵。但是這樣的超音速機，也都裝有垂直尾翼。機體的側面面積愈小，便愈容易搖擺。

▼你是否知道，沒有垂直尾翼的飛機？這飛機的名字叫NorthropYB—四九。好像く字形的boamerang般的形狀，由於無尾翼，所以看起來似乎只有主翼在天上飛行。那麼，這種飛機如何保持平衡呢？這是有趣的，結果雖是無尾翼機，可是它的安定性、操縱性都不理想，所以才不致於實用化。所以飛機的進化並不簡單。

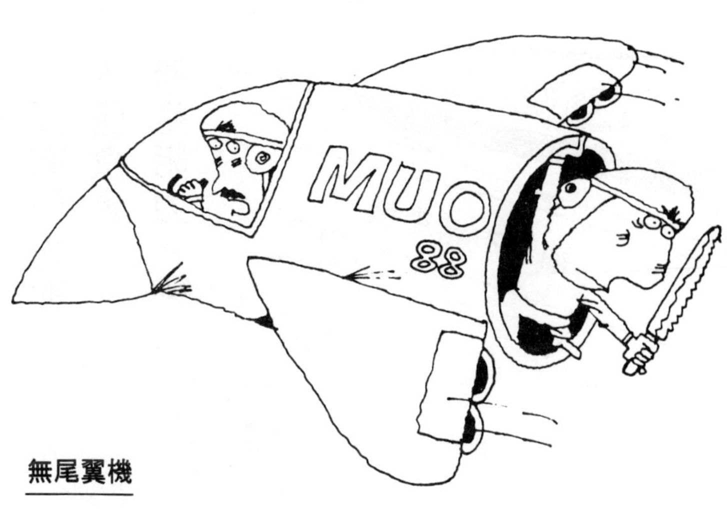

無尾翼機

70

愈沒有阻力的東西愈會產生阻力。

▼現在已發明了時速五百公里快速列車，叫流線型馬達車。這種流線型列車的最大特徵，就是以高速度行駛時，車體會浮在空中。這個秘密，是由超傳導磁鐵的特殊電磁所操縱。當列車開動時，裝置於車體的磁鐵就發生作用成為強力的磁鐵。在軌道方面也裝有與車體磁鐵相反，方向的南、北方向的磁鐵。而這兩個磁鐵彼此互相排斥，使車體從鐵軌上浮上來，同時向前推近。這樣一來，就不像普通的列車會產生機械性的摩擦，也才能發揮高速度的效果。

▼能使列車車體浮起的力量的超電導磁鐵，是由很少人所知的鍩和鉬的材料做成的電線，像牽牛花的籐般纏起，然後再冷卻到零下二百七十度的低溫。在通過電流時就會變成強力的磁鐵。

▼為什麼要這麼麻煩的製造電磁鐵呢?事實上應該

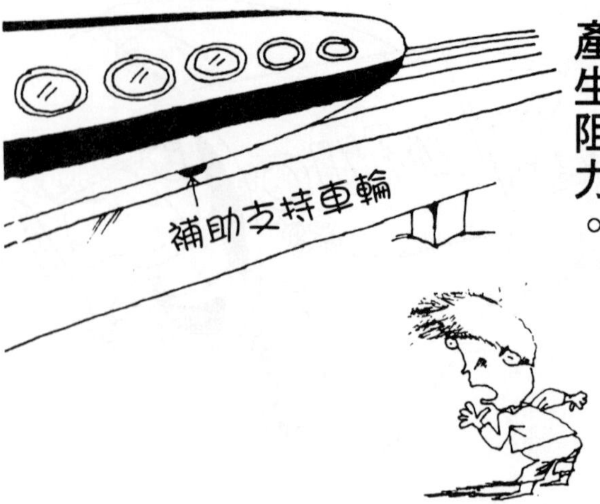

也可以如小學的實驗，將銅線捲在鐵釘上的電磁鐵，可是這樣的話銅線的阻力會發生障礙，而無法做出強力的磁鐵。超傳導磁鐵，電氣阻力是0。像這樣完全無阻力的狀態叫超傳導狀態。

▼超傳導狀態有趣的是，由於它完全無阻力，所以一旦通電流時，就不必從外送電，而電流會永遠連續的流通。如果再給它更大的電流的話，它也不會產生更強大的磁力。如果電流太大的話，所發生的強大磁界（磁力線的聚集）會破壞超傳導狀態，引起超傳導有如自殺的狀態。超傳導磁鐵的優點是裝置雖然很小，但會產生很大的磁力，同時能量也不至於消耗太多。

▼但是，使溫度降低到零下二百七十度，需要液體氦的高價東西。現在正在尋找研究在高溫之下，也不會產生電氣阻力的物質。

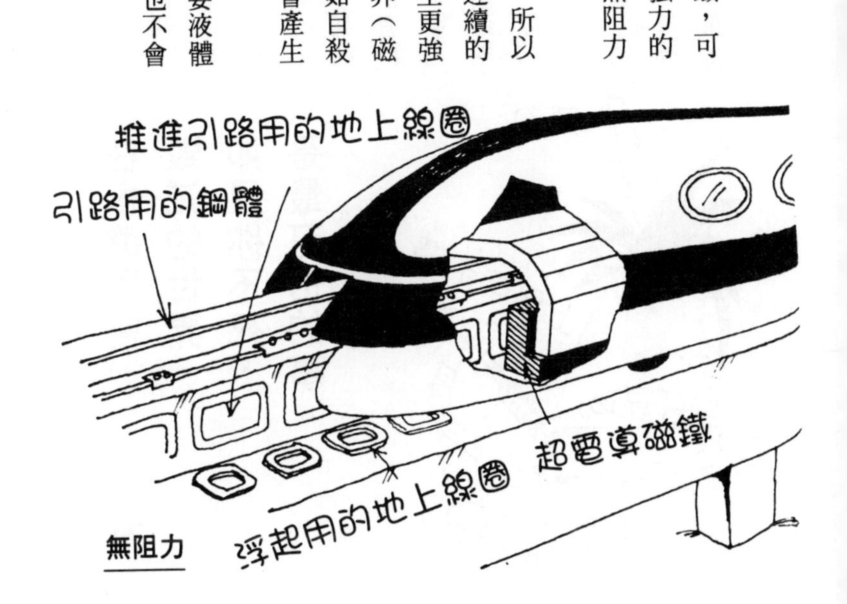

無阻力

71

在永遠不會毀滅的世界，如果你不死，是最可怕的事。

▼你是否會想現在我們所生存的世界，將來再度以同樣的狀態出現？當然也包括高興、悲傷、痛苦的事。

在日本中世紀的人，自己的孩子死了變成亡者，而在賽河原堆積石頭表示供養父母的意思。所以有一首民謠「堆積一個是為了父親，堆積二個是為了母親……」這是一種宗教信仰所留下來的。但堆積的石頭到了某種高度時鬼就來了，所以，必須以鐵棒破壞它。這亡者再堆積這些石頭，堆積完成後鬼又來了，如此這般永遠重複下去。到最後地藏王菩薩就會出現救這孩子。由這則故事便產生了一句形容所謂努力的話：「堆積賽河原的石頭。」

▼與這則故事類似的事，在外國也有很多傳言。例如，希臘詩人荷馬所說的Sisupbos的男人神話。這神話是描述從前有一個男人，他欺騙了死神而被降到黃泉

之國，被處挑大石、爬坡的刑罰，每當他抵達丘陵上時，這巨大的石頭就溜了下來。於是他又再度走下坡，挑石頭上來，如此不斷，這個男人永遠重複著這痛苦的工作。

▼前面的故事是痛苦永遠一再的重複的劫數，令人聽來有窒息感。但在很多的傳說中，也有生命永遠不滅的願望。最具代表性的是埃及的不死鳥傳說。

這鳥叫Phoenix，在阿拉伯的沙漠裡僅有一隻。活了五百年之後，為了想得到新的生命，以很芬芳的樹枝自焚而死。這當然是傳說的鳥，其實並不存在的。但這隻鳥，卻做了許多歌謠、小說、漫畫的主角。

▼人在心裡，對永遠連續的事情恐懼而嚮往，因此，以神話或傳說傳到今天。這種神話及傳說，相信會永遠傳下去。

不完的故事

72

在這無常的人世間，為什麼還實行無情的刑罰呢？

▼僅僅偷了一塊麵包，而被警察抓去關了十九年的『孤星淚』故事你知道了吧。這是法國作家雨果的長篇小說。他在小說裡，描寫社會無情的陋規及受到痛苦的人的事，很銳利的表現出人審判人，而給與刑罰的可怕的事。無情——沒有同情心的作風就是沒有感情的人才能做得到的，而使人痛苦的無情刑罰歷史，到底從什麼時代開始的呢？

▼被認為世界最古的法典「漢摩拉比法典」也有這樣一節「以眼還眼、以骨還骨、以牙還牙」。表示報仇時所使用的語言，大約在三千五百年前，就有這樣無情的刑罰的思想出現了。斷頭台的斬首刑及火刑、放逐刑、吊死刑、槍殺刑等等，都是人為了審人、判人而想出的各種刑罰。

▼在『孤星淚』的電影裡，一直追捕John的官員

，被信仰神而獻身於慈善事業的John所感動而自殺，但也不因為這樣而無情的刑罰就全消失。這種殘忍的體刑目前已很少，可是為了要使犯罪者與社會隔離，以達到維持社會秩序為目的，禁錮刑甚至死刑仍然被執行。對犯罪的採取報復手段的根本思想，自古以來一直沒有改變，所以對這種無情的作風，無法忍受而越獄或抵抗的人，自古以來永無根絕。

▼由不實的罪被幽禁而從孤島逃亡的巖窟王Monte-Christo及根據史實所寫出的巴比旺的故事，在小說及電影中你可能看了吧？在日本也有『白天的黑暗』的有名八海事件及弘前大學教授殺死夫人等事，都是由於事實的誤認而被判罪，因此長期關進牢獄裡。對這種無情的法律的執行，主張不實行而想恢復自由是如何的困難啊！人的生命是短暫的，這個世界是無常的，所以，我們希望能過著沒有無情刑罰的像人的生活。

孤星淚

▼一七九八年遠征埃及的拿破崙軍隊在沙漠中看到一個很奇怪的現象。那是浮在雪中倒反的風景，以及在地圖上所沒有的湖及會被誤認為椰子的巨大草原等等。看到這種奇怪的現象而覺得恐怖的拿破崙軍就向神祈禱。

但是，只有一個人以很清醒的眼睛看著這現象。那就是法國的一位物理學家gaspard・monia。他發現這奇怪的現象＝就是所謂的海市蜃樓。

▼那麼，為什麼在什麼都沒有的沙漠上會看到海市蜃樓呢？那是因為在沙漠上，沙熱的關係，使地表空氣變成高溫，而形成很熱的空氣層。在這個熱的空氣層中很容易引起光色的分解及光的曲折。這種情形就如同當我們圍著火時，我們所看到的在火的那一邊的人的臉，或者在夏天炎熱的日子裡，被太陽照射的路上，行駛的汽車看起來似乎變形了一般。

▼沙漠的海市蜃樓，是由於熱空氣如鏡子般，將上

如果認為眼睛看得見的東西都是存在的，那就錯了。

73

面所射入的光反射而引起的。這時，熱的空氣層，由於將一部分的天空反射的關係，所以整個看起來就好像椰子樹豎立在水邊一樣。

這個根本不存在的綠洲，對口渴的人來說，是眼睛之毒。在沙漠上旅行的阿拉伯人，把這情形叫「惡魔之海」而為這感到害怕。

▼海市蜃樓不只是在沙漠上才會發生的。與炎熱的沙漠相反的，在地表上很冷的空氣層也會發生。這時的海市蜃樓，由當時空氣層的狀態而不一定會反射出實際的狀況。有時，一株椰子看成好幾株，而小小的流冰會看成巨大的冰山。

▼在日本，較能看到海市蜃樓的地方是富山灣、九州八代海的不知火等的有名地方。此地，在海上有五～七個真相不明的火排成一排的現象，這也是海市蜃樓的一種。這是在八月的退潮晚上，漁船的火，與退潮的海上的冷空氣和海上的溫暖空氣混合所形成的現象。

海市蜃樓

74

死了以後會變成如何？真正有心靈與神的存在嗎？

▼最近，學生自殺事件常常成爲頭條新聞，而引起大家探討。你曾經想過死的事嗎？如果你死了而不在世界上，會如何呢？人死了真正會變成無嗎？靈魂及神到底存不存在？

▼你知不知道將生命當作物體來研究的分子生物學這一門學問？在一個微小的世界來探討生命的學問，而由這學問的研究發現了支配生命的是種叫ＤＮＡ（deoxyribonucleic acid）的物質。

人的靈魂，由於ＤＮＡ裡面的遺傳情報的蛋白質，變成各種細胞及器官，而使生物成長。但是，人的精神到底是怎麼樣的情形？怎麼樣的構造？還不完全知道。所以是否有靈魂的存在，這件事暫時擱下不談，現在先來談談物質變化的事。

▼死了以後，屬於物質的肉體也不會變成無。只是

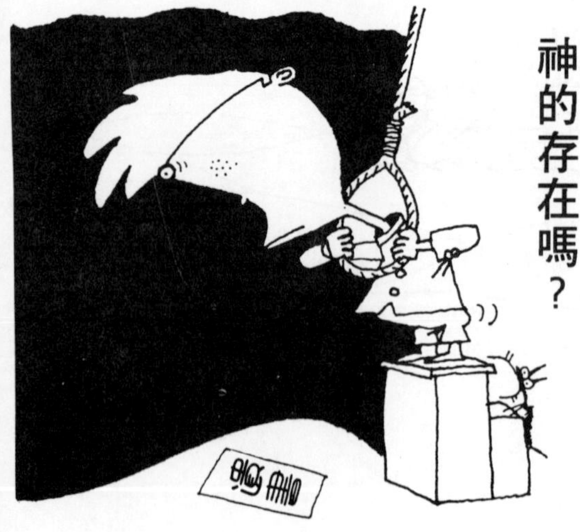

變成了屍體，即使將屍體燒了，這物質會化為煙或灰，也不會變成無。而被分解為碳、氧、氮、氫及其他元素的各種化合物的屍體，再變成它的一部分。由這樣的元素觀點來看，人的肉體會變成草、昆蟲、魚，也有的會成人的連續變化。

▼那麼，以DNA的觀點來看，這問題並不牽涉到意識及精神，而由DNA所傳達的遺傳情報說，是由父傳子的如果相信生物的進化論的話，人類與猴子擁有共同的祖先，而哺乳類的祖先就是昆蟲類，溯回到兩棲類、魚類的時代，所活著的生物的DNA的情報也傳達給你，如果你有子女的話，也會永遠傳下去。

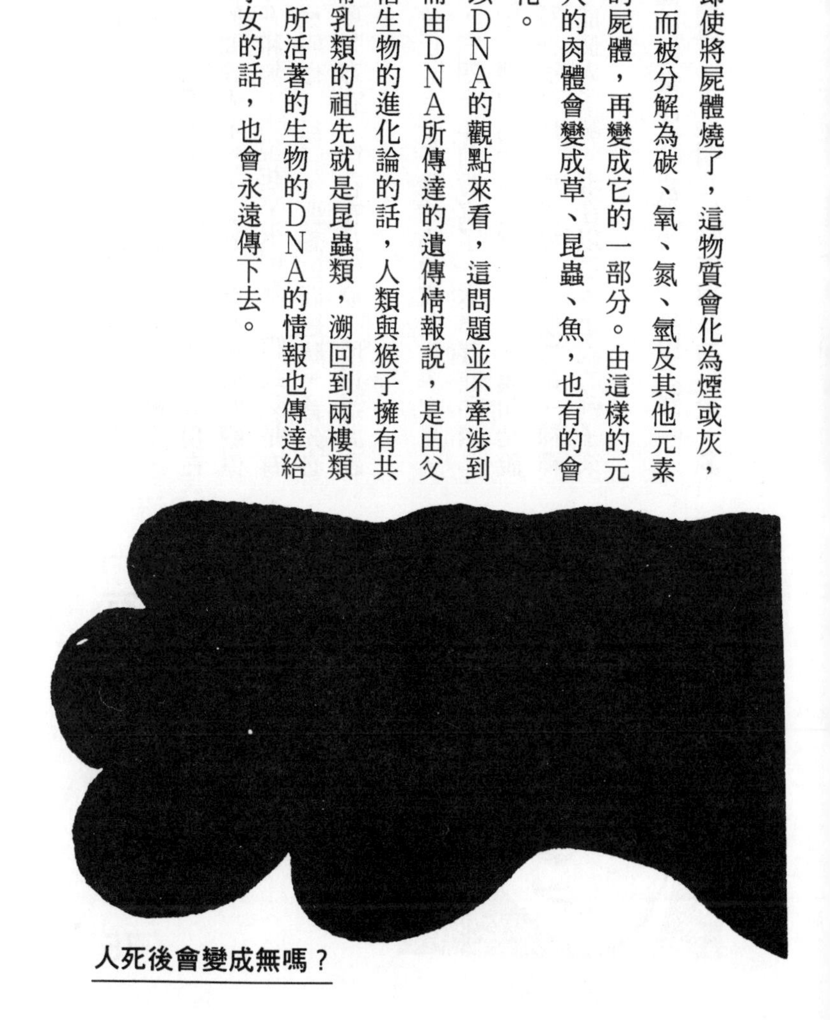

人死後會變成無嗎？

75 「有」等於「無」，有這種事嗎？

▼日本的谷川俊太郎的作品中有這樣的一首詩。「眼睛閉著的時候，看見了神，半開時就看不見神了，而張開眼睛，到底能否看到神，這是一個問題。」現在對神的存在與否的問題先不談，而到底存在和無的關係是這樣的嗎？存在和無——說起來很困難，但這只是有和無的問題。什麼叫做「無」，要想這問題時，首先必須先了解「有」就是存在。而存在是什麼？所以這問題是不容易解釋的。

▼法國有一位已經七十多歲的小說家兼哲學家夏・波魯・沙魯托魯，在四十年前曾寫了一本『存在和無』的書，在這本書中，他認為「存在就是無」。換句話說，有等於無。這實在很奇怪，如果如此，便像是一種禪的問答，還是不能使人了解。現在以這本小說的例子來作具體的說明。

▼這位法國小說家沙魯托魯寫了『自由之路』、『自家人』、『牆壁』、『嘔吐』等等很多的小說。多

沙魯托魯

半是描寫有關對肉體厭惡的感情。例如在作品中，女主角說：「他雖然愛我，但他並無愛我的心腸」，而弟弟問她說：「姊姊的腋下為什麼有毛？」她回答說：「因為生病。」由這一點可以看出他對肉體厭惡已表露無遺。在小說『自家人』中，描寫無能的丈夫和妻子之間的關係。認為人生活中所無法避免的性的事實，如果從「心的世界的不安定」裡面找到希望，就能得救。女主角莉莉為了躲避肉體的痛苦，又由於無能的丈夫的心性純艮，而丟棄了愛人，返回沙魯托魯認為「無」並不是空虛，而是無限的充實。

▼在不久前，算盤是計算機的王者，而現在完全被電子計算機所取代。但是，即使是如何方便的電子計算機，如果在無法買到電池的無人島的話，這電子計算機毫無用途，而變成了「沒有用的東西」。像這樣將物的本質不以無意義的觀念來看，而以赤裸裸的形態來看時，才會感覺到「存在就是無」。

「存在與無」

76

如果人有永遠的生命的話，是否會產生常住觀的思想？

▼無常是什麼？翻開字典來看：「所有的東西會變化，會生滅而不會永久」，也就是說並不是絕對的不滅與絕對的存在。就是人的生與死都不是絕對的，而只是像夢及現實所發生的事。

▼現在一面想無常感和無常觀，一面說明無常的真相吧。你大概曾經想過「反正人是會死的」，然後……覺得很空虛而消極或者積極的努力。人往往會有這種複雜的心境。這就是『徒然草』的作者吉田兼好，『方丈記』的作者鴨長明所有的無常感。

▼一方面，有「反正會死」的空虛，它方面會產生「反正會死，但也要活得快樂」的人生讚美的歌詞，無常感可以說是以死為出發點，來探索生存的方法的一種思想吧。

▼那麼，無常觀就是將無常感擴大到世界觀的思想

。將人當作被宇宙所包容的瞬時之點，由大自然中生出，在大自然中生存、死亡。這樣想的時候，有限的人會變成無限擴大的存在，而得到心安。

▼日本的插畫作家——橫尾忠則曾經寫過『我為什麼在這裡』的隨筆集，而他也曾說自己很喜歡線香的香味。因為香的味道可以體會無限的時間，沒有生死之境，可以發現在永劫之中的自己。當被宇宙所包容時，人可以將所有的煩惱丟棄，這就是無常觀。

▼這種思想並非在日本才有。十一世紀波斯詩人哲學家Umar Khaiyam把自己的存在以「如水、如風的消失」，「到這世界來，立刻就要離開的你，就是一隻蒼蠅——隨風來隨風去」這樣深刻的無常觀以四行詩表達出來。你懂嗎？對它是否有所領悟了。

無常

77

如果失去家的話，不要飄流，徹底成為虛無主義者

▼什麼叫做虛無？是什麼都沒有的意思，也就是強調什麼都沒有的狀態。那麼，虛無主義是什麼？

▼虛無主義就是Nihilism，這就是Nihil加ism，Nihil是拉丁語的「無」，如翻譯為無主義的話，可能被誤認為無政府主義，所以才翻譯成虛無主義。

▼虛無主義的代表重心就是德國十九世紀的思想家尼采（Nietz Sche）的人生觀。他把人認為是沒有生成的動物，也就是說，被強迫離開過去的動物且先去安住的故鄉，而對自己本身的存在煩惱的一種奇妙生物。他認為現在生存的人也只不過是未來人類的胚種而已。在未來或者屬於很輝煌的存在，或是變成很頹廢的動物，「像人這樣的動物，由動物界發生，然後又脫離動物界的事實，到底有什麼意義？」這就是他的根本問題。

▼十九世紀的俄國作家屠格涅夫（Turgenev）的作品『父與子』中說：「虛無主義者就是無論在任何有

尼采

權威的人的面前也不屈服的人。只是把這看作一個原理而不當作信條的人。即使所有的原理都受到人的尊重，也不把它當作信條。」你了解嗎？

▼在這裡我們必須注意的是這思想的背景，有基督教的人像和世間像的崩潰的事。在這以前，由神創造人，在縱的方面有天國地獄，橫的方面是表示創造和破滅世界所構成的十字架來象徵的，屬於有限的世界。但是這由於出現了哥白尼（Copernicus）的地動說和達爾文進化論等而失去了真正意義，因此，人就從神的世界被放逐到無限擴大的宇宙，而失去了安全的地方。

▼這虛無主義就是失去了過去沒有懷疑餘地的基督教世界像，可以說把「人是什麼」這問題追根究底的新人生觀、世界觀的摸索的思想。從這問題所產生的「人生的嘔吐、倦怠、無聊、無意義等等的感情」，都以「虛無」二個字概之。

虛無主義

78

能說不信神的人好像很多，其實並不多。

▼你曾經與朋友談過有關神的事情嗎？如果有的話，是不是不以神到底存在或不存在為內容？一般人談神時，多半以有或沒有作為話題的中心。而多半的人也會突然的問你是無神論者嗎？而這問題往往使人感到困惑。

▼關於這一點，日本的小說家芥川龍之介很銳利的指出「我們發現無數可以抹殺掉神的理由。但很不幸，日本人並沒有可以抹殺相信全能的神心態的理由。」（『侏儒的話』）

▼因為在日本普遍的宗教就是神道、佛教、儒教、基督教等等。但是就宗教到底是如何在人的心裡生根來說，其實並沒有什麼。

▼與這有關的小說有遠藤周作所寫的『沈默』，這是以織田信長掌握政權的時代作為背景，描寫受迫害的基督教徒的小說。主人公的祭司最後說：「你活到今天

芥川龍之介

所做的事是為了了解基督的愛所必須的，即使基督保持沈默，你直到今天的人生都是與基督有關」。

▼祭司是信仰唯一之神的基督徒，由基督的沈默的話所引導而走向人生，所以對祭司來說「神是否存在？」並不是問題，而問題是在「信仰」。

這位祭司，如果懷疑基督的愛，而否定了基督教的話，他的宗教立場就會變成真正的無神論者。因為無神論者就是只有信仰唯一之神的人，否定了神的時候所採取的立場。

▼日本人就像芥川龍之介所說的很少信仰唯一全能的神的人，所以無神論者很少。對一般人來說，神與人有很親密的感情而存在於人的身邊，但卻不能決定人生。芥川龍之介一再的說：「好人必須像天上的神一樣，第一可以談歡樂的事，第二可以談不平不滿的事，第三存在不存在都無所謂。」（『侏儒的話』）

無神論者

大展出版社有限公司 圖書目錄

地址：台北市北投區(石牌)
致遠一路二段 12 巷 1 號
電話：(02)28236031
28236033
郵撥：0166955～1
傳真：(02)28272069

・法律專欄連載・電腦編號 58

台大法學院 法律學系／策劃
法律服務社／編著

1. 別讓您的權利睡著了 1 200 元
2. 別讓您的權利睡著了 2 200 元

・秘傳占卜系列・電腦編號 14

1. 手相術 淺野八郎著 180 元
2. 人相術 淺野八郎著 150 元
3. 西洋占星術 淺野八郎著 180 元
4. 中國神奇占卜 淺野八郎著 150 元
5. 夢判斷 淺野八郎著 150 元
6. 前世、來世占卜 淺野八郎著 150 元
7. 法國式血型學 淺野八郎著 150 元
8. 靈感、符咒學 淺野八郎著 150 元
9. 紙牌占卜學 淺野八郎著 150 元
10. ESP 超能力占卜 淺野八郎著 150 元
11. 猶太數的秘術 淺野八郎著 150 元
12. 新心理測驗 淺野八郎著 160 元
13. 塔羅牌預言秘法 淺野八郎著 200 元

・趣味心理講座・電腦編號 15

1. 性格測驗① 探索男與女 淺野八郎著 140 元
2. 性格測驗② 透視人心奧秘 淺野八郎著 140 元
3. 性格測驗③ 發現陌生的自己 淺野八郎著 140 元
4. 性格測驗④ 發現你的真面目 淺野八郎著 140 元
5. 性格測驗⑤ 讓你們吃驚 淺野八郎著 140 元
6. 性格測驗⑥ 洞穿心理盲點 淺野八郎著 140 元
7. 性格測驗⑦ 探索對方心理 淺野八郎著 140 元
8. 性格測驗⑧ 由吃認識自己 淺野八郎著 160 元
9. 性格測驗⑨ 戀愛知多少 淺野八郎著 160 元
10. 性格測驗⑩ 由裝扮瞭解人心 淺野八郎著 160 元

11. 性格測驗⑪ 敲開內心玄機　淺野八郎著　140 元
12. 性格測驗⑫ 透視你的未來　淺野八郎著　160 元
13. 血型與你的一生　淺野八郎著　160 元
14. 趣味推理遊戲　淺野八郎著　160 元
15. 行為語言解析　淺野八郎著　160 元

・婦幼天地・電腦編號 16

1. 八萬人減肥成果　黃靜香譯　180 元
2. 三分鐘減肥體操　楊鴻儒譯　150 元
3. 窈窕淑女美髮秘訣　柯素娥譯　130 元
4. 使妳更迷人　成　玉譯　130 元
5. 女性的更年期　官舒妍編譯　160 元
6. 胎內育兒法　李玉瓊編譯　150 元
7. 早產兒袋鼠式護理　唐岱蘭譯　200 元
8. 初次懷孕與生產　婦幼天地編譯組　180 元
9. 初次育兒 12 個月　婦幼天地編譯組　180 元
10. 斷乳食與幼兒食　婦幼天地編譯組　180 元
11. 培養幼兒能力與性向　婦幼天地編譯組　180 元
12. 培養幼兒創造力的玩具與遊戲　婦幼天地編譯組　180 元
13. 幼兒的症狀與疾病　婦幼天地編譯組　180 元
14. 腿部苗條健美法　婦幼天地編譯組　180 元
15. 女性腰痛別忽視　婦幼天地編譯組　150 元
16. 舒展身心體操術　李玉瓊編譯　130 元
17. 三分鐘臉部體操　趙薇妮著　160 元
18. 生動的笑容表情術　趙薇妮著　160 元
19. 心曠神怡減肥法　川津祐介著　130 元
20. 內衣使妳更美麗　陳玄茹譯　130 元
21. 瑜伽美姿美容　黃靜香編著　180 元
22. 高雅女性裝扮學　陳珮玲譯　180 元
23. 蠶糞肌膚美顏法　坂梨秀子著　160 元
24. 認識妳的身體　李玉瓊譯　160 元
25. 產後恢復苗條體態　居理安・芙萊喬著　200 元
26. 正確護髮美容法　山崎伊久江著　180 元
27. 安琪拉美姿養生學　安琪拉蘭斯博瑞著　180 元
28. 女體性醫學剖析　增田豐著　220 元
29. 懷孕與生產剖析　岡部綾子著　180 元
30. 斷奶後的健康育兒　東城百合子著　220 元
31. 引出孩子幹勁的責罵藝術　多湖輝著　170 元
32. 培養孩子獨立的藝術　多湖輝著　170 元
33. 子宮肌瘤與卵巢囊腫　陳秀琳編著　180 元
34. 下半身減肥法　納他夏・史達賓著　180 元
35. 女性自然美容法　吳雅菁編著　180 元
36. 再也不發胖　池園悅太郎著　170 元

37. 生男生女控制術	中垣勝裕著	220 元
38. 使妳的肌膚更亮麗	楊　皓編著	170 元
39. 臉部輪廓變美	芝崎義夫著	180 元
40. 斑點、皺紋自己治療	高須克彌著	180 元
41. 面皰自己治療	伊藤雄康著	180 元
42. 隨心所欲瘦身冥想法	原久子著	180 元
43. 胎兒革命	鈴木丈織著	180 元
44. NS 磁氣平衡法塑造窈窕奇蹟	古屋和江著	180 元
45. 享瘦從腳開始	山田陽子著	180 元
46. 小改變瘦 4 公斤	宮本裕子著	180 元
47. 軟管減肥瘦身	高橋輝男著	180 元
48. 海藻精神秘美容法	劉名揚編著	180 元
49. 肌膚保養與脫毛	鈴木真理著	180 元
50. 10 天減肥 3 公斤	彤雲編輯組	180 元
51. 穿出自己的品味	西村玲子著	280 元

・青 春 天 地・電腦編號 17

1. A 血型與星座	柯素娥編譯	160 元
2. B 血型與星座	柯素娥編譯	160 元
3. O 血型與星座	柯素娥編譯	160 元
4. AB 血型與星座	柯素娥編譯	120 元
5. 青春期性教室	呂貴嵐編譯	130 元
6. 事半功倍讀書法	王毅希編譯	150 元
7. 難解數學破題	宋釗宜編譯	130 元
9. 小論文寫作秘訣	林顯茂編譯	120 元
11. 中學生野外遊戲	熊谷康編著	120 元
12. 恐怖極短篇	柯素娥編譯	130 元
13. 恐怖夜話	小毛驢編譯	130 元
14. 恐怖幽默短篇	小毛驢編譯	120 元
15. 黑色幽默短篇	小毛驢編譯	120 元
16. 靈異怪談	小毛驢編譯	130 元
17. 錯覺遊戲	小毛驢編著	130 元
18. 整人遊戲	小毛驢編著	150 元
19. 有趣的超常識	柯素娥編譯	130 元
20. 哦！原來如此	林慶旺編譯	130 元
21. 趣味競賽 100 種	劉名揚編譯	120 元
22. 數學謎題入門	宋釗宜編譯	150 元
23. 數學謎題解析	宋釗宜編譯	150 元
24. 透視男女心理	林慶旺編譯	120 元
25. 少女情懷的自白	李桂蘭編譯	120 元
26. 由兄弟姊妹看命運	李玉瓊編譯	130 元
27. 趣味的科學魔術	林慶旺編譯	150 元
28. 趣味的心理實驗室	李燕玲編譯	150 元

29. 愛與性心理測驗	小毛驢編譯	130 元
30. 刑案推理解謎	小毛驢編譯	130 元
31. 偵探常識推理	小毛驢編譯	130 元
32. 偵探常識解謎	小毛驢編譯	130 元
33. 偵探推理遊戲	小毛驢編譯	130 元
34. 趣味的超魔術	廖玉山編著	150 元
35. 趣味的珍奇發明	柯素娥編著	150 元
36. 登山用具與技巧	陳瑞菊編著	150 元
37. 性的漫談	蘇燕謀編著	180 元
38. 無的漫談	蘇燕謀編著	180 元
39. 黑色漫談	蘇燕謀編著	180 元
40. 白色漫談	蘇燕謀編著	180 元

・健 康 天 地・電腦編號 18

1. 壓力的預防與治療	柯素娥編譯	130 元
2. 超科學氣的魔力	柯素娥編譯	130 元
3. 尿療法治病的神奇	中尾良一著	130 元
4. 鐵證如山的尿療法奇蹟	廖玉山譯	120 元
5. 一日斷食健康法	葉慈容編譯	150 元
6. 胃部強健法	陳炳崑譯	120 元
7. 癌症早期檢查法	廖松濤譯	160 元
8. 老人痴呆症防止法	柯素娥編譯	130 元
9. 松葉汁健康飲料	陳麗芬編譯	130 元
10. 揉肚臍健康法	永井秋夫著	150 元
11. 過勞死、猝死的預防	卓秀貞編譯	130 元
12. 高血壓治療與飲食	藤山順豐著	150 元
13. 老人看護指南	柯素娥編譯	150 元
14. 美容外科淺談	楊啟宏著	150 元
15. 美容外科新境界	楊啟宏著	150 元
16. 鹽是天然的醫生	西英司郎著	140 元
17. 年輕十歲不是夢	梁瑞麟譯	200 元
18. 茶料理治百病	桑野和民著	180 元
19. 綠茶治病寶典	桑野和民著	150 元
20. 杜仲茶養顏減肥法	西田博著	150 元
21. 蜂膠驚人療效	瀨長良三郎著	180 元
22. 蜂膠治百病	瀨長良三郎著	180 元
23. 醫藥與生活(一)	鄭炳全著	180 元
24. 鈣長生寶典	落合敏著	180 元
25. 大蒜長生寶典	木下繁太郎著	160 元
26. 居家自我健康檢查	石川恭三著	160 元
27. 永恆的健康人生	李秀鈴譯	200 元
28. 大豆卵磷脂長生寶典	劉雪卿譯	150 元
29. 芳香療法	梁艾琳譯	160 元

30. 醋長生寶典	柯素娥譯	180 元
31. 從星座透視健康	席拉・吉蒂斯著	180 元
32. 愉悅自在保健學	野本二士夫著	160 元
33. 裸睡健康法	丸山淳士等著	160 元
34. 糖尿病預防與治療	藤田順豐著	180 元
35. 維他命長生寶典	菅原明子著	180 元
36. 維他命 C 新效果	鐘文訓編	150 元
37. 手、腳病理按摩	堤芳朗著	160 元
38. AIDS 瞭解與預防	彼得塔歇爾著	180 元
39. 甲殼質殼聚糖健康法	沈永嘉譯	160 元
40. 神經痛預防與治療	木下真男著	160 元
41. 室內身體鍛鍊法	陳炳崑編著	160 元
42. 吃出健康藥膳	劉大器編著	180 元
43. 自我指壓術	蘇燕謀編著	160 元
44. 紅蘿蔔汁斷食療法	李玉瓊編著	150 元
45. 洗心術健康秘法	竺翠萍編譯	170 元
46. 枇杷葉健康療法	柯素娥編譯	180 元
47. 抗衰血癒	楊啟宏著	180 元
48. 與癌搏鬥記	逸見政孝著	180 元
49. 冬蟲夏草長生寶典	高橋義博著	170 元
50. 痔瘡・大腸疾病先端療法	宮島伸宜著	180 元
51. 膠布治癒頑固慢性病	加瀨建造著	180 元
52. 芝麻神奇健康法	小林貞作著	170 元
53. 香煙能防止癡呆？	高田明和著	180 元
54. 穀菜食治癌療法	佐藤成志著	180 元
55. 貼藥健康法	松原英多著	180 元
56. 克服癌症調和道呼吸法	帶津良一著	180 元
57. B 型肝炎預防與治療	野村喜重郎著	180 元
58. 青春永駐養生導引術	早島正雄著	180 元
59. 改變呼吸法創造健康	原久子著	180 元
60. 荷爾蒙平衡養生秘訣	出村博著	180 元
61. 水美肌健康法	井戶勝富著	170 元
62. 認識食物掌握健康	廖梅珠編著	170 元
63. 痛風劇痛消除法	鈴木吉彥著	180 元
64. 酸莖菌驚人療效	上田明彥著	180 元
65. 大豆卵磷脂治現代病	神津健一著	200 元
66. 時辰療法—危險時刻凌晨 4 時	呂建強等著	180 元
67. 自然治癒力提升法	帶津良一著	180 元
68. 巧妙的氣保健法	藤平墨子著	180 元
69. 治癒 C 型肝炎	熊田博光著	180 元
70. 肝臟病預防與治療	劉名揚編著	180 元
71. 腰痛平衡療法	荒井政信著	180 元
72. 根治多汗症、狐臭	稻葉益巳著	220 元
73. 40 歲以後的骨質疏鬆症	沈永嘉譯	180 元

74. 認識中藥　松下一成著　180元
75. 認識氣的科學　佐佐木茂美著　180元
76. 我戰勝了癌症　安田伸著　180元
77. 斑點是身心的危險信號　中野進著　180元
78. 艾波拉病毒大震撼　玉川重德著　180元
79. 重新還我黑髮　桑名隆一郎著　180元
80. 身體節律與健康　林博史著　180元
81. 生薑治萬病　石原結實著　180元
82. 靈芝治百病　陳瑞東著　180元
83. 木炭驚人的威力　大槻彰著　200元
84. 認識活性氧　井土貴司著　180元
85. 深海鮫治百病　廖玉山編著　180元
86. 神奇的蜂王乳　井上丹治著　180元
87. 卡拉 OK 健腦法　東潔著　180元
88. 卡拉 OK 健康法　福田伴男著　180元
89. 醫藥與生活(二)　鄭炳全著　200元
90. 洋蔥治百病　宮尾興平著　180元
91. 年輕 10 歲快步健康法　石塚忠雄著　180元
92. 石榴的驚人神效　岡本順子著　180元
93. 飲料健康法　白鳥早奈英著　180元
94. 健康棒體操　劉名揚編譯　180元
95. 催眠健康法　蕭京凌編著　180元

・實用女性學講座・電腦編號 19

1. 解讀女性內心世界　島田一男著　150元
2. 塑造成熟的女性　島田一男著　150元
3. 女性整體裝扮學　黃靜香編著　180元
4. 女性應對禮儀　黃靜香編著　180元
5. 女性婚前必修　小野十傳著　200元
6. 徹底瞭解女人　田口二州著　180元
7. 拆穿女性謊言 88 招　島田一男著　200元
8. 解讀女人心　島田一男著　200元
9. 俘獲女性絕招　志賀貢著　200元
10. 愛情的壓力解套　中村理英子著　200元
11. 妳是人見人愛的女孩　廖松濤編著　200元

・校園系列・電腦編號 20

1. 讀書集中術　多湖輝著　150元
2. 應考的訣竅　多湖輝著　150元
3. 輕鬆讀書贏得聯考　多湖輝著　150元
4. 讀書記憶秘訣　多湖輝著　150元

5. 視力恢復！超速讀術	江錦雲譯	180 元
6. 讀書 36 計	黃柏松編著	180 元
7. 驚人的速讀術	鐘文訓編著	170 元
8. 學生課業輔導良方	多湖輝著	180 元
9. 超速讀超記憶法	廖松濤編著	180 元
10. 速算解題技巧	宋釗宜編著	200 元
11. 看圖學英文	陳炳崑編著	200 元
12. 讓孩子最喜歡數學	沈永嘉譯	180 元
13. 催眠記憶術	林碧清譯	180 元

・實用心理學講座・電腦編號 21

1. 拆穿欺騙伎倆	多湖輝著	140 元
2. 創造好構想	多湖輝著	140 元
3. 面對面心理術	多湖輝著	160 元
4. 偽裝心理術	多湖輝著	140 元
5. 透視人性弱點	多湖輝著	140 元
6. 自我表現術	多湖輝著	180 元
7. 不可思議的人性心理	多湖輝著	180 元
8. 催眠術入門	多湖輝著	150 元
9. 責罵部屬的藝術	多湖輝著	150 元
10. 精神力	多湖輝著	150 元
11. 厚黑說服術	多湖輝著	150 元
12. 集中力	多湖輝著	150 元
13. 構想力	多湖輝著	150 元
14. 深層心理術	多湖輝著	160 元
15. 深層語言術	多湖輝著	160 元
16. 深層說服術	多湖輝著	180 元
17. 掌握潛在心理	多湖輝著	160 元
18. 洞悉心理陷阱	多湖輝著	180 元
19. 解讀金錢心理	多湖輝著	180 元
20. 拆穿語言圈套	多湖輝著	180 元
21. 語言的內心玄機	多湖輝著	180 元
22. 積極力	多湖輝著	180 元

・超現實心理講座・電腦編號 22

1. 超意識覺醒法	詹蔚芬編譯	130 元
2. 護摩秘法與人生	劉名揚編譯	130 元
3. 秘法！超級仙術入門	陸明譯	150 元
4. 給地球人的訊息	柯素娥編著	150 元
5. 密教的神通力	劉名揚編著	130 元
6. 神秘奇妙的世界	平川陽一著	200 元

7.	地球文明的超革命	吳秋嬌譯	200 元
8.	力量石的秘密	吳秋嬌譯	180 元
9.	超能力的靈異世界	馬小莉譯	200 元
10.	逃離地球毀滅的命運	吳秋嬌譯	200 元
11.	宇宙與地球終結之謎	南山宏著	200 元
12.	驚世奇功揭秘	傅起鳳著	200 元
13.	啟發身心潛力心象訓練法	栗田昌裕著	180 元
14.	仙道術遁甲法	高藤聰一郎著	220 元
15.	神通力的秘密	中岡俊哉著	180 元
16.	仙人成仙術	高藤聰一郎著	200 元
17.	仙道符咒氣功法	高藤聰一郎著	220 元
18.	仙道風水術尋龍法	高藤聰一郎著	200 元
19.	仙道奇蹟超幻像	高藤聰一郎著	200 元
20.	仙道鍊金術房中法	高藤聰一郎著	200 元
21.	奇蹟超醫療治癒難病	深野一幸著	220 元
22.	揭開月球的神秘力量	超科學研究會	180 元
23.	西藏密教奧義	高藤聰一郎著	250 元
24.	改變你的夢術入門	高藤聰一郎著	250 元

・養 生 保 健・電腦編號 23

1.	醫療養生氣功	黃孝寬著	250 元
2.	中國氣功圖譜	余功保著	230 元
3.	少林醫療氣功精粹	井玉蘭著	250 元
4.	龍形實用氣功	吳大才等著	220 元
5.	魚戲增視強身氣功	宮　嬰著	220 元
6.	嚴新氣功	前新培金著	250 元
7.	道家玄牝氣功	張　章著	200 元
8.	仙家秘傳袪病功	李遠國著	160 元
9.	少林十大健身功	秦慶豐著	180 元
10.	中國自控氣功	張明武著	250 元
11.	醫療防癌氣功	黃孝寬著	250 元
12.	醫療強身氣功	黃孝寬著	250 元
13.	醫療點穴氣功	黃孝寬著	250 元
14.	中國八卦如意功	趙維漢著	180 元
15.	正宗馬禮堂養氣功	馬禮堂著	420 元
16.	秘傳道家筋經內丹功	王慶餘著	280 元
17.	三元開慧功	辛桂林著	250 元
18.	防癌治癌新氣功	郭　林著	180 元
19.	禪定與佛家氣功修煉	劉天君著	200 元
20.	顛倒之術	梅自強著	360 元
21.	簡明氣功辭典	吳家駿編	360 元
22.	八卦三合功	張全亮著	230 元
23.	朱砂掌健身養生功	楊永著	250 元

24. 抗老功 陳九鶴著 230 元
25. 意氣按穴排濁自療法 黃啟運編著 250 元
26. 陳式太極拳養生功 陳正雷著 200 元
27. 健身祛病小功法 王培生著 200 元

・社會人智囊・ 電腦編號 24

1.	糾紛談判術	清水增三著	160 元
2.	創造關鍵術	淺野八郎著	150 元
3.	觀人術	淺野八郎著	180 元
4.	應急詭辯術	廖英迪編著	160 元
5.	天才家學習術	木原武一著	160 元
6.	貓型狗式鑑人術	淺野八郎著	180 元
7.	逆轉運掌握術	淺野八郎著	180 元
8.	人際圓融術	澀谷昌三著	160 元
9.	解讀人心術	淺野八郎著	180 元
10.	與上司水乳交融術	秋元隆司著	180 元
11.	男女心態定律	小田晉著	180 元
12.	幽默說話術	林振輝編著	200 元
13.	人能信賴幾分	淺野八郎著	180 元
14.	我一定能成功	李玉瓊譯	180 元
15.	獻給青年的嘉言	陳蒼杰譯	180 元
16.	知人、知面、知其心	林振輝編著	180 元
17.	塑造堅強的個性	坂上肇著	180 元
18.	為自己而活	佐藤綾子著	180 元
19.	未來十年與愉快生活有約	船井幸雄著	180 元
20.	超級銷售話術	杜秀卿譯	180 元
21.	感性培育術	黃靜香編著	180 元
22.	公司新鮮人的禮儀規範	蔡媛惠譯	180 元
23.	傑出職員鍛鍊術	佐佐木正著	180 元
24.	面談獲勝戰略	李芳黛譯	180 元
25.	金玉良言撼人心	森純大著	180 元
26.	男女幽默趣典	劉華亭編著	180 元
27.	機智說話術	劉華亭編著	180 元
28.	心理諮商室	柯素娥譯	180 元
29.	如何在公司崢嶸頭角	佐佐木正著	180 元
30.	機智應對術	李玉瓊編著	200 元
31.	克服低潮良方	坂野雄二著	180 元
32.	智慧型說話技巧	沈永嘉編著	180 元
33.	記憶力、集中力增進術	廖松濤編著	180 元
34.	女職員培育術	林慶旺編著	180 元
35.	自我介紹與社交禮儀	柯素娥編著	180 元
36.	積極生活創幸福	田中真澄著	180 元
37.	妙點子超構想	多湖輝著	180 元

38. 說 NO 的技巧	廖玉山編著	180 元
39. 一流說服力	李玉瓊編著	180 元
40. 般若心經成功哲學	陳鴻蘭編著	180 元
41. 訪問推銷術	黃靜香編著	180 元
42. 男性成功秘訣	陳蒼杰編著	180 元
43. 笑容、人際智商	宮川澄子著	180 元
44. 多湖輝的構想工作室	多湖輝著	200 元
45. 名人名語啟示錄	喬家楓著	180 元

・精 選 系 列・電腦編號 25

1. 毛澤東與鄧小平	渡邊利夫等著	280 元
2. 中國大崩裂	江戶介雄著	180 元
3. 台灣・亞洲奇蹟	上村幸治著	220 元
4. 7-ELEVEN 高盈收策略	國友隆一著	180 元
5. 台灣獨立（新・中國日本戰爭一）	森詠著	200 元
6. 迷失中國的末路	江戶雄介著	220 元
7. 2000 年 5 月全世界毀滅	紫藤甲子男著	180 元
8. 失去鄧小平的中國	小島朋之著	220 元
9. 世界史爭議性異人傳	桐生操著	200 元
10. 淨化心靈享人生	松濤弘道著	220 元
11. 人生心情診斷	賴藤和寬著	220 元
12. 中美大決戰	檜山良昭著	220 元
13. 黃昏帝國美國	莊雯琳譯	220 元
14. 兩岸衝突（新・中國日本戰爭二）	森詠著	220 元
15. 封鎖台灣（新・中國日本戰爭三）	森詠著	220 元
16. 中國分裂（新・中國日本戰爭四）	森詠著	220 元
17. 由女變男的我	虎井正衛著	200 元
18. 佛學的安心立命	松濤弘道著	220 元
19. 世界喪禮大觀	松濤弘道著	280 元

・運 動 遊 戲・電腦編號 26

1. 雙人運動	李玉瓊譯	160 元
2. 愉快的跳繩運動	廖玉山譯	180 元
3. 運動會項目精選	王佑京譯	150 元
4. 肋木運動	廖玉山譯	150 元
5. 測力運動	王佑宗譯	150 元
6. 游泳入門	唐桂萍編著	200 元

・休 閒 娛 樂・電腦編號 27

1. 海水魚飼養法	田中智浩著	300 元

2.	金魚飼養法	曾雪玫譯	250元
3.	熱門海水魚	毛利匡明著	480元
4.	愛犬的教養與訓練	池田好雄著	250元
5.	狗教養與疾病	杉浦哲著	220元
6.	小動物養育技巧	三上昇著	300元
20.	園藝植物管理	船越亮二著	220元

・銀髮族智慧學・電腦編號 28

1.	銀髮六十樂逍遙	多湖輝著	170元
2.	人生六十反年輕	多湖輝著	170元
3.	六十歲的決斷	多湖輝著	170元
4.	銀髮族健身指南	孫瑞台編著	250元

・飲 食 保 健・電腦編號 29

1.	自己製作健康茶	大海淳著	220元
2.	好吃、具藥效茶料理	德永睦子著	220元
3.	改善慢性病健康藥草茶	吳秋嬌譯	200元
4.	藥酒與健康果菜汁	成玉編著	250元
5.	家庭保健養生湯	馬汴梁編著	220元
6.	降低膽固醇的飲食	早川和志著	200元
7.	女性癌症的飲食	女子營養大學	280元
8.	痛風者的飲食	女子營養大學	280元
9.	貧血者的飲食	女子營養大學	280元
10.	高脂血症者的飲食	女子營養大學	280元
11.	男性癌症的飲食	女子營養大學	280元
12.	過敏者的飲食	女子營養大學	280元
13.	心臟病的飲食	女子營養大學	280元
14.	滋陰壯陽的飲食	王增著	220元

・家庭醫學保健・電腦編號 30

1.	女性醫學大全	雨森良彥著	380元
2.	初為人父育兒寶典	小瀧周曹著	220元
3.	性活力強健法	相建華著	220元
4.	30歲以上的懷孕與生產	李芳黛編著	220元
5.	舒適的女性更年期	野末悅子著	200元
6.	夫妻前戲的技巧	笠井寬司著	200元
7.	病理足穴按摩	金慧明著	220元
8.	爸爸的更年期	河野孝旺著	200元
9.	橡皮帶健康法	山田晶著	180元
10.	三十三天健美減肥	相建華等著	180元

11. 男性健美入門　孫玉祿編著　180元
12. 強化肝臟秘訣　主婦の友社編　200元
13. 了解藥物副作用　張果馨譯　200元
14. 女性醫學小百科　松山榮吉著　200元
15. 左轉健康法　龜田修等著　200元
16. 實用天然藥物　鄭炳全編著　260元
17. 神秘無痛平衡療法　林宗駛著　180元
18. 膝蓋健康法　張果馨譯　180元
19. 針灸治百病　葛書翰著　250元
20. 異位性皮膚炎治癒法　吳秋嬌譯　220元
21. 禿髮白髮預防與治療　陳炳崑編著　180元
22. 埃及皇宮菜健康法　飯森薰著　200元
23. 肝臟病安心治療　上野幸久著　220元
24. 耳穴治百病　陳抗美等著　250元
25. 高效果指壓法　五十嵐康彥著　200元
26. 瘦水、胖水　鈴木園子著　200元
27. 手針新療法　朱振華著　200元
28. 香港腳預防與治療　劉小惠譯　200元
29. 智慧飲食吃出健康　柯富陽編著　200元
30. 牙齒保健法　廖玉山編著　200元
31. 恢復元氣養生食　張果馨譯　200元
32. 特效推拿按摩術　李玉田著　200元
33. 一週一次健康法　若狹真著　200元
34. 家常科學膳食　大塚滋著　220元
35. 夫妻們關心的男性不孕　原利夫著　220元
36. 自我瘦身美容　馬野詠子著　200元
37. 魔法姿勢益健康　五十嵐康彥著　200元
38. 眼病錘療法　馬栩周著　200元
39. 預防骨質疏鬆症　藤田拓男著　200元
40. 骨質增生效驗方　李吉茂編著　250元
41. 蕺菜健康法　小林正夫著　200元
42. 赧於啟齒的男性煩惱　增田豐著　220元
43. 簡易自我健康檢查　稻葉允著　250元
44. 實用花草健康法　友田純子著　200元
45. 神奇的手掌療法　日比野喬著　230元
46. 家庭式三大穴道療法　刑部忠和著　200元
47. 子宮癌、卵巢癌　岡島弘幸著　220元
48. 糖尿病機能性食品　劉雪卿編著　220元
49. 奇蹟活現經脈美容法　林振輝編譯　200元
50. Super SEX　秋好憲一著　220元
51. 了解避孕丸　林玉佩譯　200元

・超經營新智慧・電腦編號 31

1.	躍動的國家越南	林雅倩譯	250 元
2.	甦醒的小龍菲律賓	林雅倩譯	220 元
3.	中國的危機與商機	中江要介著	250 元
4.	在印度的成功智慧	山內利男著	220 元
5.	7-ELEVEN 大革命	村上豐道著	200 元
6.	業務員成功秘方	呂育清編著	200 元

・心 靈 雅 集・電腦編號 00

1.	禪言佛語看人生	松濤弘道著	180 元
2.	禪密教的奧秘	葉逯謙譯	120 元
3.	觀音大法力	田口日勝著	120 元
4.	觀音法力的大功德	田口日勝著	120 元
5.	達摩禪 106 智慧	劉華亭編譯	220 元
6.	有趣的佛教研究	葉逯謙編譯	170 元
7.	夢的開運法	蕭京凌譯	130 元
8.	禪學智慧	柯素娥編譯	130 元
9.	女性佛教入門	許俐萍譯	110 元
10.	佛像小百科	心靈雅集編譯組	130 元
11.	佛教小百科趣談	心靈雅集編譯組	120 元
12.	佛教小百科漫談	心靈雅集編譯組	150 元
13.	佛教知識小百科	心靈雅集編譯組	150 元
14.	佛學名言智慧	松濤弘道著	220 元
15.	釋迦名言智慧	松濤弘道著	220 元
16.	活人禪	平田精耕著	120 元
17.	坐禪入門	柯素娥編譯	150 元
18.	現代禪悟	柯素娥編譯	130 元
19.	道元禪師語錄	心靈雅集編譯組	130 元
20.	佛學經典指南	心靈雅集編譯組	130 元
21.	何謂「生」阿含經	心靈雅集編譯組	150 元
22.	一切皆空　般若心經	心靈雅集編譯組	180 元
23.	超越迷惘　法句經	心靈雅集編譯組	130 元
24.	開拓宇宙觀　華嚴經	心靈雅集編譯組	180 元
25.	真實之道　法華經	心靈雅集編譯組	130 元
26.	自由自在　涅槃經	心靈雅集編譯組	130 元
27.	沈默的教示　維摩經	心靈雅集編譯組	150 元
28.	開通心眼　佛語佛戒	心靈雅集編譯組	130 元
29.	揭秘寶庫　密教經典	心靈雅集編譯組	180 元
30.	坐禪與養生	廖松濤譯	110 元
31.	釋尊十戒	柯素娥編譯	120 元
32.	佛法與神通	劉欣如編著	120 元

33. 悟（正法眼藏的世界） 柯素娥編譯 120 元
34. 只管打坐 劉欣如編著 120 元
35. 喬答摩・佛陀傳 劉欣如編著 120 元
36. 唐玄奘留學記 劉欣如編著 120 元
37. 佛教的人生觀 劉欣如編譯 110 元
38. 無門關(上卷) 心靈雅集編譯組 150 元
39. 無門關(下卷) 心靈雅集編譯組 150 元
40. 業的思想 劉欣如編著 130 元
41. 佛法難學嗎 劉欣如著 140 元
42. 佛法實用嗎 劉欣如著 140 元
43. 佛法殊勝嗎 劉欣如著 140 元
44. 因果報應法則 李常傳編 180 元
45. 佛教醫學的奧秘 劉欣如編著 150 元
46. 紅塵絕唱 海　若著 130 元
47. 佛教生活風情 洪丕謨、姜玉珍著 220 元
48. 行住坐臥有佛法 劉欣如著 160 元
49. 起心動念是佛法 劉欣如著 160 元
50. 四字禪語 曹洞宗青年會 200 元
51. 妙法蓮華經 劉欣如編著 160 元
52. 根本佛教與大乘佛教 葉作森編 180 元
53. 大乘佛經 定方晟著 180 元
54. 須彌山與極樂世界 定方晟著 180 元
55. 阿闍世的悟道 定方晟著 180 元
56. 金剛經的生活智慧 劉欣如著 180 元
57. 佛教與儒教 劉欣如編譯 180 元
58. 佛教史入門 劉欣如編譯 180 元
59. 印度佛教思想史 劉欣如編譯 200 元
60. 佛教與女姓 劉欣如編譯 180 元
61. 禪與人生 洪丕謨主編 260 元

・經 營 管 理・電腦編號 01

◎ 創新經營管理六十六大計(精) 蔡弘文編 780 元
1. 如何獲取生意情報 蘇燕謀譯 110 元
2. 經濟常識問答 蘇燕謀譯 130 元
4. 台灣商戰風雲錄 陳中雄著 120 元
5. 推銷大王秘錄 原一平著 180 元
6. 新創意・賺大錢 王家成譯 90 元
7. 工廠管理新手法 琪　輝著 120 元
10. 美國實業 24 小時 柯順隆譯 80 元
11. 撼動人心的推銷法 原一平著 150 元
12. 高竿經營法 蔡弘文編 120 元
13. 如何掌握顧客 柯順隆譯 150 元
17. 一流的管理 蔡弘文編 150 元

18. 外國人看中韓經濟	劉華亭譯	150元
20. 突破商場人際學	林振輝編著	90元
22. 如何使女人打開錢包	林振輝編著	100元
24. 小公司經營策略	王嘉誠著	160元
25. 成功的會議技巧	鐘文訓編譯	100元
26. 新時代老闆學	黃柏松編著	100元
27. 如何創造商場智囊團	林振輝編譯	150元
28. 十分鐘推銷術	林振輝編譯	180元
29. 五分鐘育才	黃柏松編譯	100元
33. 自我經濟學	廖松濤編譯	100元
34. 一流的經營	陶田生編著	120元
35. 女性職員管理術	王昭國編譯	120元
36. ＩＢＭ的人事管理	鐘文訓編譯	150元
37. 現代電腦常識	王昭國編譯	150元
38. 電腦管理的危機	鐘文訓編譯	120元
39. 如何發揮廣告效果	王昭國編譯	150元
40. 最新管理技巧	王昭國編譯	150元
41. 一流推銷術	廖松濤編譯	150元
42. 包裝與促銷技巧	王昭國編譯	130元
43. 企業王國指揮塔	松下幸之助著	120元
44. 企業精銳兵團	松下幸之助著	120元
45. 企業人事管理	松下幸之助著	100元
46. 華僑經商致富術	廖松濤編譯	130元
47. 豐田式銷售技巧	廖松濤編譯	180元
48. 如何掌握銷售技巧	王昭國編著	130元
50. 洞燭機先的經營	鐘文訓編譯	150元
52. 新世紀的服務業	鐘文訓編譯	100元
53. 成功的領導者	廖松濤編譯	120元
54. 女推銷員成功術	李玉瓊編譯	130元
55. ＩＢＭ人才培育術	鐘文訓編譯	100元
56. 企業人自我突破法	黃琪輝編著	150元
58. 財富開發術	蔡弘文編著	130元
59. 成功的店舖設計	鐘文訓編著	150元
61. 企管回春法	蔡弘文編著	130元
62. 小企業經營指南	鐘文訓編譯	100元
63. 商場致勝名言	鐘文訓編譯	150元
64. 迎接商業新時代	廖松濤編譯	100元
66. 新手股票投資入門	何朝乾編著	200元
67. 上揚股與下跌股	何朝乾編譯	180元
68. 股票速成學	何朝乾編譯	200元
69. 理財與股票投資策略	黃俊豪編著	180元
70. 黃金投資策略	黃俊豪編著	180元
71. 厚黑管理學	廖松濤編譯	180元
72. 股市致勝格言	呂梅莎編譯	180元

73. 透視西武集團	林谷燁編譯	150 元
76. 巡迴行銷術	陳蒼杰譯	150 元
77. 推銷的魔術	王嘉誠譯	120 元
78. 60 秒指導部屬	周蓮芬編譯	150 元
79. 精銳女推銷員特訓	李玉瓊編譯	130 元
80. 企劃、提案、報告圖表的技巧	鄭汶譯	180 元
81. 海外不動產投資	許達守編譯	150 元
82. 八百伴的世界策略	李玉瓊譯	150 元
83. 服務業品質管理	吳宜芬譯	180 元
84. 零庫存銷售	黃東謙編譯	150 元
85. 三分鐘推銷管理	劉名揚編譯	150 元
86. 推銷大王奮鬥史	原一平著	150 元
87. 豐田汽車的生產管理	林谷燁編譯	150 元

・成 功 寶 庫・電腦編號 02

1. 上班族交際術	江森滋著	100 元
2. 拍馬屁訣竅	廖玉山編譯	110 元
4. 聽話的藝術	歐陽輝編譯	110 元
9. 求職轉業成功術	陳義編著	110 元
10. 上班族禮儀	廖玉山編著	120 元
11. 接近心理學	李玉瓊編著	100 元
12. 創造自信的新人生	廖松濤編著	120 元
15. 神奇瞬間瞑想法	廖松濤編譯	100 元
16. 人生成功之鑰	楊意苓編著	150 元
19. 給企業人的諍言	鐘文訓編著	120 元
20. 企業家自律訓練法	陳義編譯	100 元
21. 上班族妖怪學	廖松濤編著	100 元
22. 猶太人縱橫世界的奇蹟	孟佑政編著	110 元
25. 你是上班族中強者	嚴思圖編著	100 元
30. 成功頓悟 100 則	蕭京凌編譯	130 元
32. 知性幽默	李玉瓊編譯	130 元
33. 熟記對方絕招	黃靜香編譯	100 元
37. 察言觀色的技巧	劉華亭編著	180 元
38. 一流領導力	施義彥編譯	120 元
40. 30 秒鐘推銷術	廖松濤編譯	150 元
41. 猶太成功商法	周蓮芬編譯	120 元
42. 尖端時代行銷策略	陳蒼杰編著	100 元
43. 顧客管理學	廖松濤編著	100 元
44. 如何使對方說 Yes	程羲編著	150 元
47. 上班族口才學	楊鴻儒譯	120 元
48. 上班族新鮮人須知	程羲編著	120 元
49. 如何左右逢源	程羲編著	130 元
50. 語言的心理戰	多湖輝著	130 元

55. 性惡企業管理學	陳蒼杰譯	130 元
56. 自我啟發 200 招	楊鴻儒編著	150 元
57. 做個傑出女職員	劉名揚編著	130 元
58. 靈活的集團營運術	楊鴻儒編著	120 元
60. 個案研究活用法	楊鴻儒編著	130 元
61. 企業教育訓練遊戲	楊鴻儒編著	120 元
62. 管理者的智慧	程義編譯	130 元
63. 做個佼佼管理者	馬筱莉編譯	130 元
67. 活用禪學於企業	柯素娥編譯	130 元
69. 幽默詭辯術	廖玉山編譯	150 元
70. 拿破崙智慧箴言	柯素娥編譯	130 元
71. 自我培育・超越	蕭京凌編譯	150 元
74. 時間即一切	沈永嘉編譯	130 元
75. 自我脫胎換骨	柯素娥譯	150 元
76. 贏在起跑點 人才培育鐵則	楊鴻儒編譯	150 元
77. 做一枚活棋	李玉瓊編譯	130 元
78. 面試成功戰略	柯素娥編譯	130 元
81. 瞬間攻破心防法	廖玉山編譯	120 元
82. 改變一生的名言	李玉瓊編譯	130 元
83. 性格性向創前程	楊鴻儒編譯	130 元
84. 訪問行銷新竅門	廖玉山編譯	150 元
85. 無所不達的推銷話術	李玉瓊編譯	150 元

・處 世 智 慧・電腦編號 03

1. 如何改變你自己	陸明編譯	120 元
6. 靈感成功術	譚繼山編譯	80 元
8. 扭轉一生的五分鐘	黃柏松編譯	100 元
10. 現代人的詭計	林振輝譯	100 元
13. 口才必勝術	黃柏松編譯	120 元
14. 女性的智慧	譚繼山編譯	90 元
16. 人生的體驗	陸明編譯	80 元
18. 幽默吹牛術	金子登著	90 元
19. 攻心說服術	多湖輝著	100 元
24. 慧心良言	亦奇著	80 元
25. 名家慧語	蔡逸鴻主編	90 元
28. 如何發揮你的潛能	陸明編譯	90 元
29. 女人身態語言學	李常傳譯	130 元
30. 摸透女人心	張文志譯	90 元
32. 給女人的悄悄話	妮倩編譯	90 元
34. 如何開拓快樂人生	陸明編譯	90 元
36. 成功的捷徑	鐘文訓譯	70 元
37. 幽默逗笑術	林振輝著	120 元
38. 活用血型讀書法	陳炳崑譯	80 元

39. 心　燈	葉于模著	100元
40. 當心受騙	林顯茂譯	90元
41. 心・體・命運	蘇燕謀譯	70元
43. 宮本武藏五輪書金言錄	宮本武藏著	100元
47. 成熟的愛	林振輝譯	120元
48. 現代女性駕馭術	蔡德華著	90元
49. 禁忌遊戲	酒井潔著	90元
52. 摸透男人心	劉華亭編譯	80元
53. 如何達成願望	謝世輝著	90元
54. 創造奇蹟的「想念法」	謝世輝著	90元
55. 創造成功奇蹟	謝世輝著	90元
57. 幻想與成功	廖松濤譯	80元
58. 反派角色的啟示	廖松濤編譯	70元
59. 現代女性須知	劉華亭編著	75元
62. 如何突破內向	姜倩怡編譯	110元
64. 讀心術入門	王家成編譯	100元
65. 如何解除內心壓力	林美羽編著	110元
66. 取信於人的技巧	多湖輝著	110元
68. 自我能力的開拓	卓一凡編著	110元
70. 縱橫交涉術	嚴思圖編著	90元
71. 如何培養妳的魅力	劉文珊編著	90元
75. 個性膽怯者的成功術	廖松濤編譯	100元
76. 人性的光輝	文可式編著	90元
79. 培養靈敏頭腦秘訣	廖玉山編著	90元
80. 夜晚心理術	鄭秀美編譯	80元
81. 如何做個成熟的女性	李玉瓊編著	80元
82. 現代女性成功術	劉文珊編著	90元
83. 成功說話技巧	梁惠珠編譯	100元
84. 人生的真諦	鐘文訓編譯	100元
85. 妳是人見人愛的女孩	廖松濤編著	120元
87. 指尖・頭腦體操	蕭京凌編譯	90元
88. 電話應對禮儀	蕭京凌編著	120元
89. 自我表現的威力	廖松濤編譯	100元
90. 名人名語啟示錄	喬家楓編著	100元
91. 男與女的哲思	程鐘梅編譯	110元
92. 靈思慧語	牧風著	110元
93. 心靈夜語	牧風著	100元
94. 激盪腦力訓練	廖松濤編譯	100元
95. 三分鐘頭腦活性法	廖玉山編譯	110元
96. 星期一的智慧	廖玉山編譯	100元
97. 溝通說服術	賴文琇編譯	100元

·健康與美容· 電腦編號 04

3.	媚酒傳(中國王朝秘酒)	陸明主編	120 元
5.	中國回春健康術	蔡一藩著	100 元
6.	奇蹟的斷食療法	蘇燕謀譯	130 元
8.	健美食物法	陳炳崑譯	120 元
9.	驚異的漢方療法	唐龍編著	90 元
10.	不老強精食	唐龍編著	100 元
12.	五分鐘跳繩健身法	蘇明達譯	100 元
13.	睡眠健康法	王家成譯	80 元
14.	你就是名醫	張芳明譯	90 元
19.	釋迦長壽健康法	譚繼山譯	90 元
20.	腳部按摩健康法	譚繼山譯	120 元
21.	自律健康法	蘇明達譯	90 元
23.	身心保健座右銘	張仁福著	160 元
24.	腦中風家庭看護與運動治療	林振輝譯	100 元
25.	秘傳醫學人相術	成玉主編	120 元
26.	導引術入門(1)治療慢性病	成玉主編	110 元
27.	導引術入門(2)健康・美容	成玉主編	110 元
28.	導引術入門(3)身心健康法	成玉主編	110 元
29.	妙用靈藥・蘆薈	李常傳譯	150 元
30.	萬病回春百科	吳通華著	150 元
31.	初次懷孕的 10 個月	成玉編譯	130 元
32.	中國秘傳氣功治百病	陳炳崑編譯	130 元
35.	仙人長生不老學	陸明編譯	100 元
36.	釋迦秘傳米粒刺激法	鐘文訓譯	120 元
37.	痔・治療與預防	陸明編譯	130 元
38.	自我防身絕技	陳炳崑編譯	120 元
39.	運動不足時疲勞消除法	廖松濤譯	110 元
40.	三溫暖健康法	鐘文訓編譯	90 元
43.	維他命與健康	鐘文訓譯	150 元
45.	森林浴一綠的健康法	劉華亭編譯	80 元
47.	導引術入門(4)酒浴健康法	成玉主編	90 元
48.	導引術入門(5)不老回春法	成玉主編	90 元
49.	山白竹(劍竹)健康法	鐘文訓譯	90 元
50.	解救你的心臟	鐘文訓編譯	100 元
52.	超人氣功法	陸明編譯	110 元
54.	借力的奇蹟(1)	力拔山著	100 元
55.	借力的奇蹟(2)	力拔山著	100 元
56.	五分鐘小睡健康法	呂添發撰	120 元
59.	艾草健康法	張汝明編譯	90 元
60.	一分鐘健康診斷	蕭京凌編譯	90 元
61.	念術入門	黃靜香編譯	90 元

62. 念術健康法	黃靜香編譯	90元
63. 健身回春法	梁惠珠編譯	100元
64. 姿勢養生法	黃秀娟編譯	90元
65. 仙人瞑想法	鐘文訓譯	120元
66. 人蔘的神效	林慶旺譯	100元
67. 奇穴治百病	吳通華著	120元
68. 中國傳統健康法	靳海東著	100元
71. 酵素健康法	楊皓編譯	120元
73. 腰痛預防與治療	五味雅吉著	130元
74. 如何預防心臟病・腦中風	譚定長等著	100元
75. 少女的生理秘密	蕭京凌譯	120元
76. 頭部按摩與針灸	楊鴻儒譯	100元
77. 雙極療術入門	林聖道著	100元
78. 氣功自療法	梁景蓮著	120元
79. 大蒜健康法	李玉瓊編譯	120元
81. 健胸美容秘訣	黃靜香譯	120元
82. 鍺奇蹟療效	林宏儒譯	120元
83. 三分鐘健身運動	廖玉山譯	120元
84. 尿療法的奇蹟	廖玉山譯	120元
85. 神奇的聚積療法	廖玉山譯	120元
86. 預防運動傷害伸展體操	楊鴻儒編譯	120元
88. 五日就能改變你	柯素娥譯	110元
89. 三分鐘氣功健康法	陳美華譯	120元
91. 道家氣功術	早島正雄著	130元
92. 氣功減肥術	早島正雄著	120元
93. 超能力氣功法	柯素娥譯	130元
94. 氣的瞑想法	早島正雄著	120元

・家　庭／生　活・電腦編號 05

1. 單身女郎生活經驗談	廖玉山編著	100元
2. 血型・人際關係	黃靜編著	120元
3. 血型・妻子	黃靜編著	110元
4. 血型・丈夫	廖玉山編譯	130元
5. 血型・升學考試	沈永嘉編譯	120元
6. 血型・臉型・愛情	鐘文訓編譯	120元
7. 現代社交須知	廖松濤編譯	100元
8. 簡易家庭按摩	鐘文訓編譯	150元
9. 圖解家庭看護	廖玉山編譯	120元
10. 生男育女隨心所欲	岡正基編著	160元
11. 家庭急救治療法	鐘文訓編著	100元
12. 新孕婦體操	林曉鐘譯	120元
13. 從食物改變個性	廖玉山編譯	100元
14. 藥草的自然療法	東城百合子著	200元

15. 糙米菜食與健康料理	東城百合子著	180 元
16. 現代人的婚姻危機	黃靜編著	90 元
17. 親子遊戲 0 歲	林慶旺編譯	100 元
18. 親子遊戲 1～2 歲	林慶旺編譯	110 元
19. 親子遊戲 3 歲	林慶旺編譯	100 元
20. 女性醫學新知	林曉鐘編譯	180 元
21. 媽媽與嬰兒	張汝明編譯	180 元
22. 生活智慧百科	黃靜編譯	100 元
23. 手相・健康・你	林曉鐘編譯	120 元
24. 菜食與健康	張汝明編譯	110 元
25. 家庭素食料理	陳東達著	140 元
26. 性能力活用秘法	米開・尼里著	150 元
27. 兩性之間	林慶旺編譯	120 元
28. 性感經穴健康法	蕭京凌編譯	150 元
29. 幼兒推拿健康法	蕭京凌編譯	100 元
30. 談中國料理	丁秀山編著	100 元
31. 舌技入門	增田豐著	160 元
32. 預防癌症的飲食法	黃靜香編譯	150 元
33. 性與健康寶典	黃靜香編譯	180 元
34. 正確避孕法	蕭京凌編譯	180 元
35. 吃的更漂亮美容食譜	楊萬里著	120 元
36. 圖解交際舞速成	鐘文訓編譯	150 元
37. 觀相導引術	沈永嘉譯	130 元
38. 初為人母 12 個月	陳義譯	180 元
39. 圖解麻將入門	顧安行編譯	180 元
40. 麻將必勝秘訣	石利夫編譯	180 元
41. 女性一生與漢方	蕭京凌編譯	100 元
42. 家電的使用與修護	鐘文訓編譯	160 元
43. 錯誤的家庭醫療法	鐘文訓編譯	100 元
44. 簡易防身術	陳慧珍編譯	150 元
45. 茶健康法	鐘文訓編譯	130 元
46. 雞尾酒大全	劉雪卿譯	180 元
47. 生活的藝術	沈永嘉編著	120 元
48. 雜草雜果健康法	沈永嘉編著	120 元
49. 如何選擇理想妻子	荒谷慈著	110 元
50. 如何選擇理想丈夫	荒谷慈著	110 元
51. 中國食與性的智慧	根本光人著	150 元
52. 開運法話	陳宏男譯	100 元
53. 禪語經典＜上＞	平田精耕著	150 元
54. 禪語經典＜下＞	平田精耕著	150 元
55. 手掌按摩健康法	鐘文訓譯	180 元
56. 腳底按摩健康法	鐘文訓譯	180 元
57. 仙道運氣健身法	李玉瓊譯	150 元
58. 健心、健體呼吸法	蕭京凌譯	120 元

59. 自彊術入門	蕭京凌譯	120 元
60. 指技入門	增田豐著	160 元
61. 下半身鍛鍊法	增田豐著	180 元
62. 表象式學舞法	黃靜香編譯	180 元
63. 圖解家庭瑜伽	鐘文訓譯	130 元
64. 食物治療寶典	黃靜香編譯	130 元
65. 智障兒保育入門	楊鴻儒譯	130 元
66. 自閉兒童指導入門	楊鴻儒譯	180 元
67. 乳癌發現與治療	黃靜香譯	130 元
68. 盆栽培養與欣賞	廖啟新編譯	180 元
69. 世界手語入門	蕭京凌編譯	180 元
70. 賽馬必勝法	李錦雀編譯	200 元
71. 中藥健康粥	蕭京凌編譯	120 元
72. 健康食品指南	劉文珊編譯	130 元
73. 健康長壽飲食法	鐘文訓編譯	150 元
74. 夜生活規則	增田豐著	160 元
75. 自製家庭食品	鐘文訓編譯	200 元
76. 仙道帝王招財術	廖玉山譯	130 元
77. 「氣」的蓄財術	劉名揚譯	130 元
78. 佛教健康法入門	劉名揚譯	130 元
79. 男女健康醫學	郭汝蘭譯	150 元
80. 成功的果樹培育法	張煌編譯	130 元
81. 實用家庭菜園	孔翔儀編譯	130 元
82. 氣與中國飲食法	柯素娥編譯	130 元
83. 世界生活趣譚	林其英著	160 元
84. 胎教二八〇天	鄭淑美譯	220 元
85. 酒自己動手釀	柯素娥編著	160 元
86. 自己動「手」健康法	劉雪卿譯	160 元
87. 香味活用法	森田洋子著	160 元
88. 寰宇趣聞搜奇	林其英著	200 元
89. 手指回旋健康法	栗田昌裕著	200 元
90. 家庭巧妙收藏	蘇秀玉譯	200 元
91. 餐桌禮儀入門	風間璋子著	200 元
92. 住宅設計要訣	吉田春美著	200 元

・命 理 與 預 言・ 電腦編號 06

1. 12 星座算命術	訪星珠著	200 元
2. 中國式面相學入門	蕭京凌編著	180 元
3. 圖解命運學	陸明編著	200 元
4. 中國秘傳面相術	陳炳崑編著	180 元
5. 13 星座占星術	馬克・矢崎著	200 元
6. 命名彙典	水雲居士編著	180 元
7. 簡明紫微斗術命運學	唐龍編著	220 元

8. 住宅風水吉凶判斷法 琪輝編譯 180元
9. 鬼谷算命秘術 鬼谷子著 200元
10. 密教開運咒法 中岡俊哉著 250元
11. 女性星魂術 岩滿羅門著 200元
12. 簡明四柱推命學 李常傳編譯 150元
13. 手相鑑定奧秘 高山東明著 200元
14. 簡易精確手相 高山東明著 200元
15. 13星座戀愛占卜 彤雲編譯組 200元
16. 女巫的咒法 柯素娥譯 230元
17. 六星命運占卜學 馬文莉編著 230元
18. 樸克牌占卜入門 王家成譯 100元
19. Ａ血型與十二生肖 鄒雲英編譯 90元
20. Ｂ血型與十二生肖 鄒雲英編譯 90元
21. Ｏ血型與十二生肖 鄒雲英編譯 100元
22. ＡＢ血型與十二生肖 鄒雲英編譯 90元
23. 筆跡占卜學 周子敬著 220元
24. 神秘消失的人類 林達中譯 80元
25. 世界之謎與怪談 陳炳崑譯 80元
26. 符咒術入門 柳玉山人編 150元
27. 神奇的白符咒 柳玉山人編 160元
28. 神奇的紫等咒 柳玉山人編 200元
29. 秘咒魔法開運術 吳慧鈴編譯 180元
30. 諾米空秘咒法 馬克・矢崎編著 220元
31. 改變命運的手相術 鐘文訓著 120元
32. 黃帝手相占術 鮑黎明著 230元
33. 惡魔的咒法 杜美芳譯 230元
34. 腳相開運術 王瑞禎譯 130元
35. 面相開運術 許麗玲譯 150元
36. 房屋風水與運勢 邱震睿編譯 200元
37. 商店風水與運勢 邱震睿編譯 200元
38. 諸葛流天文遁甲 巫立華譯 150元
39. 聖帝五龍占術 廖玉山譯 180元
40. 萬能神算 張助馨編著 120元
41. 神祕的前世占卜 劉名揚譯 150元
42. 諸葛流奇門遁甲 巫立華譯 150元
43. 諸葛流四柱推命 巫立華譯 180元
44. 室內擺設創好運 小林祥晃著 200元
45. 室內裝潢開運法 小林祥晃著 230元
46. 新・大開運吉方位 小林祥晃著 200元
47. 風水的奧義 小林祥晃著 200元
48. 開運風水收藏術 小林祥晃著 200元
49. 商場開運風水術 小林祥晃著 200元
50. 骰子開運易占 立野清隆著 250元
51. 四柱推命愛情運 李芳黛譯 220元

52. 風水開運飲食法	小林祥晃著	200 元
53. 最新簡易手相	小林八重子著	220 元
54. 最新占術大全	高平鳴海著	300 元

・教養特輯・電腦編號 07

1. 管教子女絕招	多湖輝著	70 元
5. 如何教育幼兒	林振輝譯	80 元
7. 關心孩子的眼睛	陸明編	70 元
8. 如何生育優秀下一代	邱夢蕾編著	100 元
10. 現代育兒指南	劉華亭編譯	90 元
12. 如何培養自立的下一代	黃靜香編譯	80 元
14. 教養孩子的母親暗示法	多湖輝編譯	80 元
15. 奇蹟教養法	鐘文訓編譯	90 元
16. 慈父嚴母的時代	多湖輝著	90 元
17. 如何發現問題兒童的才智	林慶旺譯	100 元
18. 再見！夜尿症	黃靜香編譯	90 元
19. 育兒新智慧	黃靜編譯	90 元
20. 長子培育術	劉華亭編譯	80 元
21. 親子運動遊戲	蕭京凌編譯	90 元
22. 一分鐘刺激會話法	鐘文訓編著	90 元
23. 啟發孩子讀書的興趣	李玉瓊編著	100 元
24. 如何使孩子更聰明	黃靜編著	100 元
25. 3・4歲育兒寶典	黃靜香編譯	100 元
26. 一對一教育法	林振輝編譯	100 元
27. 母親的七大過失	鐘文訓編譯	100 元
28. 幼兒才能開發測驗	蕭京凌編譯	100 元
29. 教養孩子的智慧之眼	黃靜香編譯	100 元
30. 如何創造天才兒童	林振輝編譯	90 元
31. 如何使孩子數學滿點	林明嬋編著	100 元

・消遣特輯・電腦編號 08

1. 小動物飼養秘訣	徐道政譯	120 元
2. 狗的飼養與訓練	張文志譯	130 元
4. 鴿的飼養與訓練	林振輝譯	120 元
5. 金魚飼養法	鐘文訓編譯	130 元
6. 熱帶魚飼養法	鐘文訓編譯	180 元
8. 妙事多多	金家驊編譯	80 元
9. 有趣的性知識	蘇燕謀編譯	100 元
11. 100 種小鳥養育法	譚繼山編譯	200 元
12. 樸克牌遊戲與贏牌秘訣	林振輝編譯	120 元
13. 遊戲與餘興節目	廖松濤編著	100 元

14. 樸克牌魔術・算命・遊戲	林振輝編譯	100元
16. 世界怪動物之謎	王家成譯	90元
17. 有趣智商測驗	譚繼山譯	120元
19. 絕妙電話遊戲	開心俱樂部著	80元
20. 透視超能力	廖玉山譯	90元
21. 戶外登山野營	劉青篁編譯	90元
24. 巴士旅行遊戲	陳羲編著	110元
25. 快樂的生活常識	林泰彥編著	90元
26. 室內室外遊戲	蕭京凌編著	110元
27. 神奇的火柴棒測驗術	廖玉山編著	100元
28. 醫學趣味問答	陸明編譯	90元
29. 樸克牌單人遊戲	周蓮芬編譯	130元
30. 靈驗樸克牌占卜	周蓮芬編譯	120元
32. 性趣無窮	蕭京淩編譯	110元
33. 歡樂遊戲手冊	張汝明編譯	100元
34. 美國技藝大全	程玫立編譯	100元
35. 聚會即興表演	高育強編譯	90元
36. 恐怖幽默	幽默選集編輯組	120元
37. 兩生幽默	幽默選集編輯著	180元
44. 藝術家幽默	幽默選集編輯組	100元
45. 旅遊幽默	幽默選集編輯組	100元
46. 投機幽默	幽默選集編輯組	100元
47. 異色幽默	幽默選集編輯組	180元
48. 青春幽默	幽默選集編輯組	100元
49. 焦點幽默	幽默選集編輯組	100元
50. 政治幽默	幽默選集編輯組	130元
51. 美國式幽默	幽默選集編輯組	130元

・語 文 特 輯・電腦編號 09

1. 日本話 1000 句速成	王復華編著	60元
2. 美國話 1000 句速成	吳銘編著	60元
3. 美國話 1000 句速成　附卡帶		220元
4. 日本話 1000 句速成　附卡帶		220元
5. 簡明日本話速成	陳炳崑編著	90元
6. 常用英語會話	林雅倩編譯	150元
7. 日常生活英語會話	杜秀卿編譯	150元
8. 海外旅行英語會話	杜秀卿編譯	150元
20. 學會美式俚語會話	王嘉明著	220元
21. 虛擬實境英語速成	王嘉明著	200元

・武術特輯・電腦編號 10

1.	陳式太極拳入門	馮志強編著	150 元
2.	武式太極拳	郝少如編著	150 元
3.	練功十八法入門	蕭京凌編著	120 元
4.	教門長拳	蕭京凌編著	150 元
5.	跆拳道	蕭京凌編譯	180 元
6.	正傳合氣道	程曉鈴譯	200 元
7.	圖解雙節棍	陳銘遠著	150 元
8.	格鬥空手道	鄭旭旭編著	180 元
9.	實用跆拳道	陳國榮編著	200 元
10.	武術初學指南	李文英、解守德編著	250 元
11.	泰國拳	陳國榮著	180 元
12.	中國式摔跤	黃　斌編著	180 元
13.	太極劍入門	李德印編著	180 元
14.	太極拳運動	運動司編	250 元
15.	太極拳譜	清・王宗岳等著	280 元
16.	散手初學	冷　峰編著	180 元
17.	南拳	朱瑞琪編著	180 元
18.	吳式太極劍	王培生著	200 元
19.	太極拳健身和技擊	王培生著	250 元
20.	秘傳武當八卦掌	狄兆龍著	250 元

・趣味益智百科・電腦編號 11

2.	神奇魔術入門	陳炳崑譯	70 元
3.	智商 180 訓練金頭腦	徐道政譯	90 元
4.	趣味遊戲 107 入門	徐道政譯	60 元
5.	漫畫入門	張芳明譯	70 元
6.	氣象觀測入門	陳炳崑譯	50 元
7.	圖解游泳入門	黃慶篤譯	80 元
9.	少女派對入門	陳昱仁譯	70 元
10.	簡易勞作入門	陳昱仁譯	70 元
11.	手製玩具入門	趣味百科編譯組	80 元
12.	圖解遊戲百科	趣味百科編譯組	70 元
13.	奇妙火柴棒遊戲	趣味百科編譯組	70 元
14.	奇妙手指遊戲	趣味百科編譯組	70 元
15.	快樂的勞作一走	趣味百科編譯組	70 元
16.	快樂的勞作—動	趣味百科編譯組	70 元
17.	快樂的勞作—飛	趣味百科編譯組	70 元
18.	不可思議的恐龍	趣味百科編譯組	70 元
19.	不可思議的化石	趣味百科編譯組	70 元
20.	偵探推理入門	趣味百科編譯組	70 元

國家圖書館出版品預行編目資料

無的漫談／蘇燕謀編著
－初版－臺北市，大展，民 87
面；21 公分－（青春天地；38）
ISBN 957-557-884-8（平裝）
1. 雜錄

046　　87014092

無的漫談　　ISBN 957-557-884-8

編著者／蘇　燕　謀
發行人／蔡　森　明
出版者／大展出版社有限公司
社　　址／台北市北投區（石牌）致遠一路 2 段 12 巷 1 號
電　　話／(02) 28236031・28236033
傳　　真／(02) 28272069
郵政劃撥／0166955—1
登記證／局版臺業字第 2171 號
承印者／國順圖書印刷公司
裝　　訂／嶸興裝訂有限公司
排版者／千兵企業有限公司
電　　話／(02) 28812643
初版 1 刷／1998 年（民 87 年）12 月

定　　價／180 元

大展好書 好書大展